D0267911

De Maartje en Menno-serie

Avonturen in Mystica
De Meester van de Duistere Toren

Maartje en Menno

De Meester van de Duistere Toren

Marieke Gombault

Met illustraties van Rakhi Wind

De Wolkenlezer

Colofon

1e druk: oktober 2013

Uitgever:	De Wolkenlezer
	www.wolkenlezer.nl
Druk en bindwerk:	Drukkerij Knoops
Vormgeving omslag:	Rogier Charles

ISBN: 978-94-91048-03-6 (paperback)
978-94-91048-03-6 (e-book)
NUR: 282/283 (8 - 12 jaar)

This product is printed according a Cradle to Cradle® optimised printing process as conducted by Knoops Eco Printing B.V. in collaboration with EPEA Internationale Umweltforschung GmbH

Maartje en Menno, De Meester van de Duistere Toren is in Nederland gedrukt volgens het Cradle to Cradle principe. Dit betekent dat het hele proces milieuvriendelijk is; dat de gebruikte inkten, de folie, enz. biologisch afbreekbaar zijn en het transport beperkt blijft. Het papier is FSC-gecertificeerd, er zijn dus geen oerbossen vernietigd om het papier te maken. Met het lettertype en de afstand tussen de regels hebben we het boek toegankelijker proberen te maken voor kinderen met dyslexie. Duurzaamheid past bij een kinderboek, vinden wij. Bij duurzaamheid houd je namelijk rekening met toekomstige generaties.

Voor Peter Gombault

Je liefde, je rotsvaste vertrouwen in mijn kunnen
en hoe trots je op me was, zal ik nooit vergeten.

Marieke

Proloog

'Doorwerken!' schreeuwde de Smelter. 'Meer lucht bij het vuur, het is nog lang niet heet genoeg.' De Smelter was een enorme man met een groot rood hoofd van de hitte en een paar handen, die zonder veel moeite een watermeloen konden fijnknijpen. De tien jongens die de blaasbalgen rond het vuur bedienden, kromden hun ruggen en trokken uit alle macht aan hun blaasbalg om meer lucht in het vuur te pompen.

Tommy en zijn vriend Sam veegden het zweet van hun voorhoofd en keken snel achterom naar de vreemde man in de mantel, die naast de Smelter het hele proces nauwlettend in de gaten hield. Gelukkig! Hij had hun kleine pauze niet gezien. Net toen ze weer met volle kracht aan de blaasbalg trokken, keek de man hun kant op. Het leek alsof hij dwars door hen heen keek. Op de een of andere manier was dat nog veel dreigender dan de boze woorden van de Smelter als ze teveel tijd verloren met hun geintjes. Vergeleken met de Smelter leek de man klein, maar het was duidelijk dat de Smelter bang was voor de onbekende man en niet andersom.

De lucht deed zijn werk en het vuur gloeide. Middenin het vuur veranderde de kleur van rood langzaam naar blauw, maar nog was de Smelter niet tevreden.

'Meer lucht, als je vannacht nog wilt kunnen zitten,' bulderde hij. Een pak slaag van de Smelter was berucht en alle blaasjongens trokken aan hun blaasbalgen met een kracht die alleen angst je kan geven. Langzaam werd het vuur bijna doorzichtig en eindelijk was de Smelter tevreden.

'Draai de smeltbak boven het vuur,' beval hij. 'Blijven pompen tot het goud gesmolten is.'

De blaasjongens kreunden, maar één blik van de man in de mantel was voldoende om hen weer dubbel zo hard aan het werk te krijgen. Nog nooit in de geschiedenis van de smelterij hadden ze zoveel goud in één keer gesmolten en ook nog nooit op zo'n hoge temperatuur. Het leek wel of de Smelter de samenstelling van het goud wilde veranderen.

De Smelter staarde in de smeltpan naar de roodgouden borrelende massa. Even later keek hij in de donkere ogen van de man met de mantel, die naast hem op het smeltersplatform stond.

De Smelter knikte. De man knikte terug en liep naar de rand van het platform, vlak bij de smeltpan. Hij spreidde zijn armen en mompelde woorden die Tommy en Sam niet konden verstaan, maar waarvan de haren op hun armen recht overeind gingen staan.

'Volgens mij moeten we hier weg,' fluisterde Tommy. Sam kon alleen maar sprakeloos knikken. Voetje voor voetje gingen ze langzaam achteruit tot ze met een klap tegen een tafel aanliepen. Geschrokken keken ze op, maar de man was nog geconcentreerd aan het mompelen en de andere blaasjongens stonden met open mond naar hem te staren.

Zachtjes slopen ze naar de muur waar hun geheime uitgang was. Die uitgang gebruikten ze vaak als de Smelter een middagdutje deed met zijn rug tegen de deur en ze eigenlijk, net als de anderen, de vloer moesten vegen.

De geheime uitgang was niets meer dan een gat in de muur, waar een grote koperen ketel voor stond. Maar zolang de Smelter niet wist dat hij bestond, werkte het prima.

Terwijl Tommy en Sam langzaam naar hun uitgang slopen, draaide de man zich om naar de Smelter.

‘Giet de tralies,’ beval hij.

‘Maar ik ben geen Gieter,’ stamelde de Smelter. ‘Ik mag niet gieten. Dat is verboden!’

De man gromde boos en tilde beide armen op. Uit zijn vingers leken lichtflitsen te komen en opeens vloog de Smelter door de lucht, alsof hij zo licht was als een veertje. Hij vloog van het platform af en kwam met een knal tegen een blaasbalg aan. Precies op de plek waar Tommy en Sam net nog hadden gestaan.

‘Hoe deed ’ie dat?’ fluisterde Sam.

‘Het is een tovenaar,’ antwoordde Tommy met angst en ontzag in zijn stem. ‘Ik heb er nog nooit één gezien, maar mijn opa vertelde er altijd over. Ik dacht dat hij het maar verzon om mij bang te maken. We moeten opa halen.’

‘Giet de tralies,’ zei de tovenaar dreigend en de Smelter wist niet hoe snel hij moest gehoorzamen. Langzaam leidde hij de smeltpan naar de mallen die de tovenaar had meegebracht en begon te gieten.

De tovenaar keek naar de lange dikke tralies en glimlachte. Alles ging naar wens. Hij hield zijn hand boven de tralies en voelde hoe sterk de magie was. De Smelter had echt bijzonder goed werk geleverd. Dit keer kon het plan bijna niet misgaan! Groot-Swarov Sinistro kon tevreden zijn. Tenminste, als de anderen net zulk goed werk leverden als hij. Hij dacht terug aan het moment waarop Sinistro zijn plan bekend had gemaakt en de taken onder de tovenaars had verdeeld. Zijn taak, het maken van een magische kooi, was waanzinnig moeilijk. Maar de opdracht die de andere tovenaars hadden, was nog veel moeilijker en misschien wel onmogelijk. Ik heb nog geluk met mijn opdracht, dacht hij. Want iedereen die een opdracht van Sinistro niet goed uitvoert, leeft niet lang meer.

Terwijl de tovenaar in gedachten voor zich uit staarde, kropen Tommy en Sam zo snel ze konden door het gat. Eenmaal buiten, renden ze naar het huisje van Tommy's opa aan de rand van het dorp. Toen ze vlak bij het huis waren, hoorden ze een grote klap en zagen ze een lichtflits.

'Het gaat onweren,' riep Sam. Maar Tommy antwoordde niet, hij gooide de deur open en riep: 'Opa, er is een tovenaar in de smelterij en hij wil tralies gieten!'

Opa trok zijn wenkbrauwen op en keek hem lachend aan.

'Ben je me nu voor de gek aan het houden jongen?' zei hij vriendelijk. Maar Tommy en Sam hielden vol en uiteindelijk liet opa zich, onder veel protest, naar de smelterij slepen.

Toen ze daar aankwamen was alles doodstil. Voorzichtig liepen ze de smelterij in. Daar zagen ze de Smelter en de andere blaasjongens. Ze staarden allemaal voor zich uit, alsof ze aan het slaapwandelen waren.

'Smelter, wat is er gebeurd?' vroeg opa.

'Gebeurd?' vroeg de Smelter verbaasd. 'Gebeurd, hoezo?'

Niemand kon zich iets herinneren. Het goud, de tralies en de mallen waren verdwenen. Het leek alsof de tovenaar nooit in de smelterij was geweest.

Het pak slaag dat ze kregen van de Smelter, omdat ze van hun werk waren weggelopen, zouden ze zich nog lang herinneren. Maar veel erger vond Tommy de manier waarop iedereen hem aanstaarde. Alsof hij een leugenaar was, want niemand geloofde hun verhaal.

Mystica in het nieuws

Maartje lag op de bank in de woonkamer en las in het boek dat ze van de elfenkoning had gekregen. Sinds ze tweeëneenhalve week geleden met Menno terug was gekomen van hun avontuur in het elfenland Mystica, deed ze bijna niets anders meer. In Mystica was ze erachter gekomen dat ze de toekomst in de wolken kon lezen. Ze was heel nieuwsgierig naar wat ze allemaal met deze gave zou kunnen.

Er stond veel geschiedenis in het boek. Zo leerde ze dat koningin Tansia van de Cumuli familie afstamde. Vroeger waren de wolkenlezers van de Cumuli familie heel belangrijk in Mystica. Ze waren bijna altijd raadgevers van de elfenkoning en hielpen mee het land te besturen. Vooral wolkenlezers die de toekomst konden zien werden geëerd.

'Oh ja, dat is waar ook, ' mompelde Maartje voor zich uit. 'Niet alle wolkenlezers kunnen de toekomst zien.'

Ze las dat wolkenlezers die de toekomst konden zien Orakel werden genoemd. Hun raad werd gevraagd bij belangrijke beslissingen. De toekomst die een Orakel zag, was een toekomst die zou kunnen gebeuren als niemand iets deed om hem te veranderen. Maar het lag niet vast.

Maartje dacht terug aan hun avontuur in Mystica. Ze had in de wolken gezien dat haar vader vluchtte voor tovenaars in een donker bos. Dat was de reden dat ze met Menno aan het avontuur was begonnen. Achteraf bleek dat haar vader helemaal niet achterna was gezeten door tovenaars. Door hun avontuur hadden ze de toekomst veranderd.

Dat is allemaal mooi en aardig, vond Maartje, maar ik was wel heel erg ongerust.

‘Als ik nu maar begreep wat ik zag,’ zuchtte ze. ‘Dan had ik er tenminste wat meer aan. Nu ben ik een Orakel dat geen idee heeft wat ze ziet.’

Dat was niet helemaal waar, want haar wolkenvisioenen waren tot nu toe best nuttig geweest. Ze had bijvoorbeeld Tjanda, het huisdier van haar elfenvrienden Elvira en Davino, in de wolken gezien. Daardoor wist ze waar de tovenaars Tjanda gevangen hielden en konden ze haar bevrijden. Dat had de plannen van Groot-Swarov Sinistro, de leider van de tovenaars, mooi in de war gestuurd. Mystica was weer veilig! Toch wilde Maartje nog veel meer leren over haar gave, want tot nu toe was ze nog niet zo onder de indruk van wat ze ermee kon.

‘Waren de wolken die vertellen wat er nú gebeurt maar geel en die van de toekomst rood, dan wist ik tenminste wat ze vertelden,’ mopperde ze voor zich uit. Ze bladerde door het boek. Het moest er toch in staan!

Opeens ging Maartje rechtop zitten. Wacht eens even, wat stond daar?

"Een getalenteerde wolkenlezer kan de wolken manipuleren."

‘Mam, wat betekent manipuleren?’ riep ze naar haar moeder.

‘Beïnvloeden,’ riep haar moeder terug. ‘Of nee, eigenlijk is het iemand iets laten doen wat jij wilt.’

‘De wolken laten doen wat je wilt,’ mompelde Maartje geïnteresseerd. Ze sloeg de bladzijde om en las verder.

"Als er niet voldoende wolken zijn voor een wolkenvisioen, kan een sterke wolkenlezer wolken naar zich toe roepen om zo een volwaardig visioen te kunnen zien.

Strek je armen uit naar de lucht, wijs met je wijsvingers naar de wolken die je bij elkaar wilt brengen en trek ze langzaam naar elkaar toe. Als je de wolkenring goed gebruikt, kun je zelfs in een helder blauwe lucht een wolk maken."

Een wolkenring? Daar had Maartje nog nooit van gehoord. Misschien wist haar vader wat dat was. Hij werkte al jaren in het geheim voor de elfenkoning en wist meer van Mystica dan welk mens dan ook. Hij had, net als Maartje, voor een deel elfenbloed en reisde als gezant van de elfenkoning vaak tussen Mystica en de mensenwereld.

Net toen ze de tuin in wilde lopen om haar vader te zoeken, schrok ze op door het gepiep van haar telefoon. Het was een bericht van Menno. Er stond:

"Prtprk in nws, kijk nr tv."

Ze staarde naar het berichtje. Prtprk, wat kon Menno daar nu mee bedoelen? Ze stuurde een berichtje terug:

" Prtprk???"

"Pretpark!!!" stuurde Menno.terug.

Maartje kon zijn ongeduldige zucht al bijna horen. Ze sprong op en rende naar de tv. Pretpark in het nieuws, zou dat iets met Mystica te maken hebben? Toen ze uit Mystica terug naar huis reisden, was het een grote verrassing geweest dat de poort tussen Mystica en de mensenwereld in een pretpark was.

Ze zapte van de ene naar de andere zender, maar ze vond alleen een saai fitness programma en een programma waar ze net een enorme keukenmachine wilden verkopen. Ha, daar was het nieuws.

'.... en in het meer van de attractie De Wondere Watervallen groeien plotseling bijzonder veel waterlelies,' vertelde de nieuwslezeres. 'De lelies vormen de woorden: "*Kom naar Mystica*".'

Maartje zag het meer van het pretpark van bovenaf en ja hoor, daar stond het duidelijk te lezen: "*Kom naar Mystica*". Wie zou dat geschreven hebben? En dat zo dicht bij de poort naar Mystica. Dat moest haast wel een boodschap zijn voor haar vader. Ze rende de tuin in, waar haar vader net bezig was het pas gemaaide gras bij elkaar te harken.

'Hé, Maartje, kom je me toch helpen?' vroeg hij. 'Het is ook veel te lekker weer om zo met je neus in de boeken te blijven zitten.'

'Nee, Pap, je moet komen' riep ze. 'Het pretpark is in het nieuws. In het meer staat: "*Kom naar Mystica*", dat is vast een boodschap voor ons. Zou er iets mis zijn in Mystica?'

'Wat zeg je?' vroeg haar vader verbaasd.

Maartje haalde al diep adem om het nog een keer te zeggen, maar het was al niet meer nodig. Haar vader liet de hark vallen en rende het huis binnen, regelrecht naar de tv. In zijn haast liet hij een spoor van vers gemaaid gras achter. Helemaal van de keuken tot de woonkamer.

'...velen denken dat het een slimme reclamestunt is van het pretpark, maar de directie ontkent hier iets van af te weten en klaagt dat de boten niet goed meer kunnen varen door de vele waterlelies,' hoorden ze de nieuwslezeres nog net zeggen.

'En nu gaan we naar Henk Oostvlak in Tsjechië voor nieuws over het wereldkampioenschap schaken,' vervolgde de nieuwslezeres. Geërgerd zocht Maartjes vader de zenders af naar meer nieuws over het pretpark. Maar helaas, er waren alleen andere programma's.

'Wat zeiden ze precies Maartje?' vroeg hij gespannen.

'Ik heb het niet helemaal gezien Pap,' antwoordde ze. 'Menno stuurde een berichtje en op het nieuws zag ik dat er in het meer "*Kom naar Mystica*" stond, geschreven in waterlelies. Kan dat een boodschap van de elfenkoning voor jou zijn?' vroeg ze bezorgd. Ze had het gevoel dat het iets te maken had met Sinistro. Zouden ze hem toch niet verslagen hebben?

'Dat zou me verbazen,' antwoordde hij. 'Bernacus zendt me altijd een boodschap via mijn ring.'

'Bernacus?' vroeg Maartje.

'Ja, zo heet de elfenkoning.'

Maartje was erg onder de indruk dat haar vader de elfenkoning zomaar bij zijn voornaam mocht noemen. Dan kenden ze elkaar vast heel goed.

'Noemt hij jou dan Romano?' vroeg ze.

'Natuurlijk, zo heet ik toch?' antwoordde hij glimlachend.

Ze keek naar haar vaders hand.

'Waar ís je ring, Pap?'

Romano keek naar zijn vinger.

'Die heb ik net afgedaan, voor ik het gras ging maaien. Ik zal direct kijken of er een boodschap is.' Hij pakte de ring van het dressoir en hield de palm van zijn hand boven de grote gele steen. Even lichtte de steen op, maar haar vader schudde zijn hoofd.

'Hij doet het nog wel, maar er is geen boodschap. Het bericht in het meer komt niet van de elfenkoning. Hij zou zijn boodschap ook nooit in het pretpark laten zien. Veel te gevaarlijk zo dicht bij de poort,' vond hij.

'Maar van wie dan wel?' vroeg Maartje.

Haar vader schudde zijn hoofd. Hij wist het ook niet.

'Ik ga Menno bellen,' zei Maartje. 'Hij heeft alles op het nieuws gezien. Misschien was de boodschap wel langer.'

Ze toetste Menno's nummer in en nog voordat ze de telefoon over had horen gaan, klonk Menno's opgewonden stem: 'Heb je het gezien? Dat komt vast van Davino, hij wil dat we terugkomen! We zijn weer nodig. Zullen we gaan?'

'Hoe weet je dat het van Davino komt?' vroeg Maartje verbaasd.

'Ik had met hem afgesproken dat hij een boodschap zou sturen als we weer moesten komen, en dit is duidelijk een boodschap.'

'Maar er staat: "*Kom naar Mystica*", dat kan toch van iedereen komen en voor iedereen zijn?' protesteerde Maartje.

'Er stond toch ook "*M en M*"?' zei Menno. 'En hoeveel mensen weten er eigenlijk dat Mystica bestaat? Alleen wij toch?'

'Waarom heb je het opeens over snoepjes?' vroeg Maartje.

'Nee, niet de snoepjes, de beginletters van onze namen,' riep Menno gefrustreerd uit.

'Stond er echt: "*M en M*"? Dat heb ik niet op het nieuws gehoord.'

'Volgens mij hebben ze het ook nog niet door,' zei Menno. 'Ik zag het toen ze het pretpark vanuit de lucht filmden. Op het dak van de ingang stond het in groen mos duidelijk te lezen.'

'Pap, er stond: "*M en M, kom naar Mystica*", M en M stond ergens anders, het was voor ons bedoeld!' riep Maartje naar haar vader.

'Maar wat raar dat Davino ons nu al een boodschap stuurt. We hadden toch afgesproken dat we volgende zomer weer langs zouden komen? Zou er iets mis zijn?'

'Tsja,' zei haar vader, 'je weet dat de tijd in Mystica veel sneller gaat dan hier. Daar is ondertussen al weer bijna een half elfenjaar verstreken. Misschien dacht hij dat we zijn volgende zomer bedoelden, niet de onze.'

'Ohh, dan is het een uitnodiging!' riep Maartje opgelucht.

'Hoera, een uitnodiging,' juichte Menno door de telefoon.

'Mogen we gaan Pap?' vroeg Maartje. 'We hebben nog twee weken zomervakantie en dat is ongeveer een half elfenjaar in Mystica, dus we hebben nog tijd genoeg.'

'Ja,' tetterde Menno opgewonden door de telefoon. 'Mag het alstublieft?'

Romano lachte bij zoveel enthousiasme. 'Vooruit dan maar weer. Ik moet toch nog naar Mystica voor mijn wekelijkse bezoek, anders gaat er teveel elfentijd voorbij en ik moet goed op de hoogte blijven. Bovendien moet ik dit met de elfenkoning bespreken. Maartje, als je moeder en Menno's ouders het goed vinden, dan neem ik jullie morgen mee naar het pretpark en bezoeken we Mystica.'

De volgende ochtend reden ze met z'n drieën naar het pretpark. Menno's ouders vonden het prima en Maartjes moeder had lachend gezegd dat ze haar gehang op de bank al een tijdje zat was.

Maartje keek uit het raam naar de wolken in de lucht en zag een hoge berg. Zo duidelijk dat het net een echte berg leek. De berg had geen top. Het leek net of iemand met een scherp mes de bovenkant van de berg had afgesneden. Op die platte vlakte was het een drukte van belang. Er liepen zoveel mensen dat het net een mierenhoop leek. Ze waren iets aan het bouwen, maar wat? Hoewel ze niet kon zien wat het was, zag het er dreigend uit. Dit was belangrijk. Was dit waarom ze naar Mystica werden geroepen? Maartje keek nog strakker naar de wolk, zelfs zonder met haar ogen te knipperen.

'Zie je iets?' vroeg Menno. Hij was er al helemaal aan gewend dat Maartje soms iets in de wolken zag.

'Ja,' antwoordde Maartje. 'Volgens mij zijn de tovenaars iets aan het bouwen boven op een platte berg.'

'Een platte berg, wat bedoel je?' grapte Menno. 'Een berg is toch nooit plat, daar is het een berg voor.'

'Ha, ha, erg grappig hoor,' zei Maartje. 'Ik bedoel een berg zonder top, zoals de Tafelberg in Zuid-Afrika.'

'Maar er is geen berg zonder top in Mystica,' zei Romano. 'Weet je zeker dat je het goed hebt gezien?'

'Ja, dat heb ik gezien,' antwoordde Maartje. 'Maar ik weet natuurlijk niet of het nu is, of ergens in de toekomst. Pap, weet jij hoe ik kan zien of het de toekomst is?'

'Staat het niet in het boek dat koning Bernacus je heeft gegeven?'

Menno keek Maartje verbaasd aan. Met een gek gezicht vormde hij met zijn lippen het woord "*Bernacus*" en daarna keek hij scheel. Maartje kon haar lach bijna niet inhouden.

'Ja, zo heet de elfenkoning, Menno,' bromde Romano. 'Vind je dat grappig?'

Van schrik schoot Menno bijna van de achterbank af. Maartjes vader had hem in de binnenspiegel gezien!

'Uh, nee mijnheer,' fluisterde hij met een rood hoofd. Waarom probeer ik toch altijd grappig te zijn? dacht hij beschaamd.

Maartje probeerde haar vader snel af te leiden.

'Het staat niet in het boek. Er staat wel dat je met een wolkenring de wolken kunt manipuleren. Weet jij wat een wolkenring is of hoe ik eraan kan komen?'

Romano dacht even na. 'Er zijn wel ringen die een steen hebben die op een lucht met wolken lijkt, maar ik weet niet of dat een wolkenring is zoals jij dat bedoelt. Het is een ring die in Mystica vrij veel voorkomt en gewoon als sieraad wordt gedragen.'

Maartje zuchtte. 'En ik weet ook nog steeds niet wat die broche doet die ik van de elfenkoning heb gekregen.' Even raakte ze de broche aan. Het was een prachtige steen die iedere keer als je ernaar keek een andere kleur leek te hebben.

'Veel van de kennis over wolkenlezers is verloren gegaan,' bekende Romano. 'Voordat jij die gave bleek te hebben, had ik er zelfs nog nooit van gehoord. Ik wist ook niet dat elfenkoningin Tansia haar voorspelling in de wolken had gezien. Ik ben er best trots op dat mijn dochter deze gave blijkt te hebben.'

Maartje glunderde. Haar vader was trots op haar! Ze zuchtte weer, maar dit keer was het een tevreden zucht. Ze sloeg haar boek open op zoek naar meer informatie over de wolkenring.

'Ik zal koning Bernacus vertellen wat je hebt gezien Maartje,' zei Romano. 'Misschien weet hij waar die platte berg is.'

Ze knikte en ging verder met lezen, maar toen ze bij het pretpark aankwamen, was ze wel een beetje misselijk, maar nog niet veel wijzer.

Ze liepen naar de ingang. Het was een mooi houten gebouw met schilderingen van de attracties op de muren en beelden van monsters die de toegangspoort naar het pretpark bewaakten. Nieuwsgierig keek Maartje naar het dak om te kijken of ze "*M en M*" in het mos zag staan, maar ze zag zelfs geen mos.

'Weet je zeker dat je het hebt gezien?' fluisterde ze naar Menno.

'Het was er echt,' siste Menno boos terug. 'Geloof je me soms niet?'

Maartje keek beschaamd, ze had inderdaad even gedacht dat Menno het verzonnen had omdat hij graag naar Mystica terug wilde. Maar nu ze zijn gezicht zag, wist ze wel beter.

'Jawel,' zei ze haastig, 'maar waar is het nu dan gebleven?'

Ja, daar had Menno ook geen antwoord op. Ze liepen naar Maartjes vader, die bij de kassa zijn jaarkaart liet zien.

'Als u voor de waterlelies komt,' zei de mevrouw achter de kassa, 'bent u te laat. Ze zijn er niet meer.'

'Wat?' riepen Maartje en Menno. 'Hoe kan dat nu?'

'Wij weten het ook niet,' antwoordde de mevrouw, die duidelijk hetzelfde verhaal al heel vaak had moeten vertellen. 'Vanochtend waren ze er gewoon niet meer.'

'Net als het mos,' fluisterde Menno in Maartjes oor. Maartje knikte.

'Kom op, we gaan,' zei Maartjes vader. 'Laten we het maar even gaan bekijken.'

Ze liepen door het park naar het meer. Inderdaad, de waterlelies waren verdwenen en het meer zag er weer uit zoals altijd.

'Hier is niets te zien,' zei Romano. 'Tijd om naar Mystica te gaan.'

Ze liepen achter Maartjes vader aan, op weg naar de toegangspoort van Mystica. Hoe verder ze liepen hoe minder mensen ze zagen en hoe minder kinderstemmen en gegil ze hoorden. Ze hadden ook al een tijdje geen attracties meer gezien.

'Gaan we wel goed?' vroeg Maartje. 'De toegangspoort is toch in een glijbaan in de speeltuin?'

'Dat is alleen de uitgang,' legde haar vader uit. 'Nu moeten we naar een afgelegen deel van het park.'

Na een half uur lopen, verlieten ze het pad. Ze liepen door een stuk bos, waar de bomen steeds dikker werden en ook steeds dichter op elkaar stonden. Hier was het ook een stuk kouder. Menno keek om zich heen naar het donkere bos. Wat een enge plek. Het begon ook vies te ruiken en hij hoorde een krakend geluid, alsof er wilde dieren in het bos zaten. Hij ging steeds langzamer lopen. Op een open plek in het bos lag een grote rots. Dit was geen veilige plek! Hij wist zeker dat ze beter terug konden keren. Hoorde hij daar niet een Puntsnuiter? Jazeker, dat gehuil herkende hij uit duizenden.

Hij voelde de wind langs zijn wangen strijken. Wat hoorde hij daar, door het geluid van de huilende Puntsnuiters heen?

Zoef

Zoef

'We moeten hier weg!' schreeuwde Menno. 'Er komt een Zwerulaar!' Hij greep Maartjes arm en begon haar met zich mee te trekken, terug naar de veiligheid van het pretpark.

'Stop! Menno, de toegangspoort is hier,' zei Romano. Hij greep Menno's arm om hem tegen te houden. Menno worstelde lijkbleek, met zweet op zijn voorhoofd, om los te komen.

'Wat je voelt is een spreuk,' stelde Romano Menno gerust. 'Deze plek is betoverd. Het is voor mensen niet prettig om hier te zijn. Daarom zal hier ook nooit een attractie komen. Maartje merkt het niet omdat ze elfenbloed heeft. Ik heb er ook geen last van. Jij kunt hier alleen zijn als je echt wilt. Dan kun je het gevoel namelijk negeren. Lukt dat, denk je?'

Menno knikte, maar het lukte hem niet om een stap richting de rots te doen. Maartje pakte zijn arm om hem te helpen, maar alleen toen zij en haar vader Menno optilden, konden ze hem naar de rots krijgen.

'Snel door de rots heen,' zei Maartjes vader die met moeite de worstelende Menno in bedwang hield. 'We moeten samen reizen. Weten jullie nog hoe het gaat? We stappen naar voren en dan zakken we door de steen naar Mystica. Daar gaan we.'

Romano en Maartje duwden Menno voor zich uit de rots in en stapten hem snel achterna. Zodra Menno door de rots zakte, voelde hij de paniek uit zich wegstromen. Terwijl de rots weer in een glijbaan veranderde en hij net als Romano en Maartje razendsnel naar Mystica gleed, kon hij bijna niet geloven dat hij zo bang was geweest. Opeens kon hij genieten van de tocht.

Ook Maartje vond het deze keer geweldig. Heel anders dan de eerste keer dat ze door een rots naar Mystica waren gereisd. Wat waren ze toen bang geweest! Maar ja, ze hadden ook niet geweten dat het een toegangspoort naar Mystica was.

Met een plop schoten ze aan de andere kant van de toegangspoort weer naar buiten. Ze waren in Mystica aangekomen.

De spreukenknoop

'Weet je wat ik raar vind?' zei Maartje. 'Dat we altijd naar beneden glijden, welke kant we ook op reizen.' Ze keek om zich heen. Achter haar was de rots waar ze net uit waren gekomen en voor haar lag de geheime gang naar het paleis van de elfenkoning. Ze waren op precies dezelfde plek uitgekomen waar ze de vorige keer uit Mystica waren vertrokken.

'En hier is de ingang wel hetzelfde als de uitgang en bij ons niet.'

Romano lachte. 'Dat is nu het mooie van magie. Daardoor gebeuren er dingen waarvan je denkt dat het niet kan.' Hij pakte een lamp met vuurvliegjes uit een holte in de rotswand en ze liepen de lange kale gang in. Even later kwamen ze aan bij de geheime toegangsdeur.

'Nu moeten we heel stil zijn,' zei Romano. Maartje en Menno knikten. Niemand in Mystica wist dat deze doorgang naar de mensenwereld bestond. Behalve de elfenkoning dan. Gelukkig maar, want als de tovenaars een doorgang naar de mensenwereld zouden hebben, dan zouden ze daar monsters kunnen maken en die gebruiken om de macht over te nemen in Mystica.

Voorzichtig zette Romano de lamp in een holte in de rots. Daarna werd het een stuk donkerder om hen heen. Ze hoorden hem bij de rotswand bewegen en bijna geruisloos ging de geheime deur open. Ze voelden een lichte tocht, maar het bleef even donker. Ze keken tegen de achterkant van een groot wandkleed aan.

'Er is niemand,' fluisterde Romano. 'Ga maar snel de gang in.'

Zo vlug als ze konden, schuifelden Maartje en Menno achter het wandkleed vandaan. Ze hoorden nog een zachte klik en de geheime deur was weer gesloten.

'Goed,' zei Romano. 'Eerst naar koning Bernacus, om te vertellen dat we er zijn en dan kunnen jullie Davino opzoeken.'

'Mogen we ook bij Alaida op bezoek?' vroeg Maartje. 'Ik wil haar vragen of zij iets meer weet over die wolkenring.'

'Ik zal de koning vragen of het veilig is,' antwoordde haar vader. 'Als alles in orde is, dan lijkt me dat geen probleem. Ik blijf hier nu toch een paar dagen.'

'Hoera!' riepen Maartje en Menno.

Ze liepen door het paleis naar de troonzaal. Maartje keek om zich heen. Er was niet veel veranderd in de tweeënhalve week dat ze hier niet waren geweest. Een half jaar bedoel ik, corrigeerde ze zichzelf. De tijd ging nu eenmaal sneller in Mystica. Eigenlijk gek dat ik het allemaal zo gewoon begin te vinden, dacht ze. Aan het begin van de zomer wist ik nog niet eens dat Mystica bestond en nu reizen we heen en weer alsof het niets is.

Ze liepen de troonzaal in, waar koning Bernacus al zat te wachten. Romano had hem via zijn ring verteld dat ze eraan kwamen. De zaal zag er prachtig uit en deze keer nam Maartje de tijd om goed om zich heen te kijken.

'Er stond een boodschap bij het pretpark,' vertelde Romano nadat ze elkaar hadden begroet. 'Weet jij daar iets van af?'

'Een boodschap?' vroeg de elfenkoning. 'Nee, dat zou ik nooit zo dicht bij de poort doen. Hier is niets aan de hand. Het klinkt ook als een spreuk die een leerling-troubadour zou gebruiken. Kinderen, willen jullie Davino even ophalen? Ik vermoed dat hij hier achter zit. Hij zit waarschijnlijk in de bibliotheek.

Romano, nu je er toch bent, kan ik je vertellen welke maatregelen ik heb genomen tegen Sinistro.'

De koning keek om zich heen en zag een dienstmeisje. 'Clarissa, wil jij Maartje en Menno even de weg wijzen?'

Ze liepen achter Clarissa aan en na een korte wandeling stonden ze voor de enorme houten deuren van de bibliotheek.

'Bedankt Clarissa,' zei Maartje.

Clarissa knikte en Maartje en Menno duwden de krakende deuren open. Voor zich zagen ze een grote zaal met rijen en rijen boekenkasten van de vloer tot een halve meter van het hoge plafond.

'Hoe kunnen we Davino hier nu vinden?' vroeg Menno. 'Het lijkt wel een doolhof.'

'Ssst,' zei Maartje. 'Ik hoor iets.'

Nu hoorde Menno het ook. Iemand zat heel erg te mopperen achter in de zaal.

'Ik hoor: "Alle stenen in een kring",' zei Maartje. 'Dat is toch een erg scheldwoord in Mystica?'

'Ja, dat dacht ik ook,' antwoordde Menno. 'Volgens mij is het Davino. Kom we gaan kijken wat er aan de hand is.'

Ze renden tussen de kasten door, richting het gevloek. Inderdaad, daar zat Davino gespannen over een dik boek gebogen. Hij mompelde voor zich uit en sloot toen zijn ogen. Plotseling sloeg hij hard met zijn vuist op de tafel.

'Weer niets!' riep hij gefrustreerd. 'Waarom lukt dit nu niet? Het is de simpelste spreuk uit het hele boek en nog bak ik er niets van.'

'Misschien heb je mensenhulp nodig,' zei Menno met een lach.

Met een kreet van schrik sprong Davino op. Maar toen grijnsde hij.

'Menno, Maartje, jullie zijn er, mijn plan is gelukt!' riep hij tevreden.

‘Waarom wilde je dat we kwamen?’ vroeg Maartje.

‘Ik heb jullie geroepen omdat ik me zorgen maak,’ fluisterde hij.

‘Zorgen, waarom dan?’ vroeg Menno luid.

‘Ssshhht’, siste Davino. ‘Niet zo hard. Ik wil niet dat de anderen ons horen.’

Menno keek om zich heen. ‘Welke anderen?’ fluisterde hij.

‘Waarom wil je niet dat ze ons horen?’ fluisterde Maartje. Ze schoot in de lach.

‘We zijn helemaal alleen in de bibliotheek, waarom zijn we aan het fluisteren?’

Davino keek ook om zich heen.

‘Hmm, ja, misschien is het nu wel wat overdreven,’ mompelde hij verlegen. ‘Maar niemand gelooft me ook!’ zei hij boos.

‘Wat is er dan? En waarom geloven ze je niet?’ vroeg Maartje.

‘Was je daarom zo aan het vloeken?’ vroeg Menno.

Davino’s gezicht betrok en hij keek een beetje beschaamd. ‘Oh, hebben jullie dat gehoord? Sorry hoor, maar die stomme spreuk werkt steeds niet en ik heb hem al wel honderd keer geoefend.’

‘Wat zou die spreuk dan moeten doen?’ vroeg Menno.

‘Hij beschermt je tegen de magie van de tovenaars. Niet volledig tegen een directe spreuk helaas, maar wel tegen de effecten van een spreuk en ook tegen het effect van teveel tovenaarsmagie in de lucht. Ik denk dat we die bescherming hard nodig hebben,’ zei Davino bezorgd.

‘Helpt dat touwtje in je haar met die moeilijke knoop daar ook tegen?’ vroeg Maartje belangstellend.

‘Touwtje?’ Davino greep naar zijn haar en voelde aan de knoop. ‘Dat is precies wat ik bedoel,’ zei Davino boos. Met een harde ruk trok hij het koord uit zijn haar. Op dat moment begon hij hevig te trillen.

'Wat gebeurt er?' zei Maartje.

'Spreuken,' stamelde Davino. Hij trilde zo hard dat zijn tanden klapperden en Maartje kon hem bijna niet verstaan. Hij wankelde en Maartje greep zijn arm vast om hem overeind te houden.

'Au!' riep ze verschrikt en snel liet ze de arm weer los.

'Wat is er?' vroeg Menno bezorgd.

'Ik krijg een schok als ik Davino aanraak,' antwoordde ze. 'Het lijkt wel of hij onder stroom staat. Probeer maar.'

Menno stak zijn vinger uit en raakte Davino voorzichtig aan. Het knetterde en hij voelde de schok door zijn hele lichaam trekken.

'Lekker ben jij,' zei hij boos. 'Waarom zei je: "probeer maar"? Dat doet pijn!'

Op dat moment piepte Maartjes telefoon.

'Hé, heb je hier ook bereik?' vroeg Menno verbaasd. Maartje keek op haar telefoon.

'Ik heb een bericht, maar er staat niets in,' zei Maartje. 'Er is ook geen afzender.' Zonder er verder nog over na te denken, stopte ze hem terug in haar tas.

Davino was ondertussen bezig met overleven. Hij kreunde en zocht steun bij de boekenkast. Het trillen was zo erg dat de boeken bijna uit de kast trilden en zijn haar stond recht overeind alsof hij zijn vingers in het stopcontact had gestoken.

'Hi hi hi hi hi.'

'Sta je Davino nu uit te lachen?' zei Maartje verontwaardigd.

'Ik? Welnee,' antwoordde Menno. 'Het komt daar vandaan.' Hij wees naar een hoek van de bibliotheek.

Ze renden in de richting van het gelach. In de hoek, waar twee boekenrekken bij elkaar kwamen, was het gelach het luidst.

‘Hè, ik zie niemand,’ zei Menno.

‘Daar,’ fluisterde Maartje en ze wees naar de hoek. Daar zagen ze de punt van een schoen tussen de boekenkasten uitsteken. Zachtjes slopen ze naar voren en gluurden door de spleet naar binnen. Tussen de boekenkasten was een ruimte en onderin die ruimte zat een kleine elfenjongen te schuddebuiken van het lachen. Hij moest zo lachen, dat hij niet eens door had dat hij ontdekt was.

‘Zo, wat denk jij wel niet dat je aan het doen bent?’ zei Menno met de zwaarste stem die hij kon maken.

De jongen sprong op en begon als een eekhoorn de zijkant van de kast te beklimmen. Voordat Maartje en Menno goed doorhadden wat er gebeurde, was hij naar boven geklommen.

‘Daar gaat hij,’ riep Maartje. Ze wees naar boven waar de jongen van kast naar kast sprong. Hij was verdwenen voordat ze zelf een stap hadden gezet.

‘Zo die is snel,’ zei Maartje bewonderend.

‘Valt best mee hoor,’ mompelde Menno. ‘Kom we gaan terug naar Davino.’

Davino stond nog steeds te schokken, met zijn haar recht overeind.

'De nieuwste mode,' grapte Menno. 'Haar als een stekelvarken.'

Maartje stootte hem aan. 'Doe niet zo flauw. We moeten naar de elfenkoning. Dit is gevaarlijk.'

Ze pakte Davino's hand en trok hem naar voren. Davino zette een paar stappen en Maartje liet meteen weer los. Even was ze vergeten dat ze zo een schok kreeg. 'Wat is dit toch? Het lijkt wel of je onder stroom staat.'

'Het zijn de spreuken,' klappertandde Davino. 'Die toverknoop hield ze tegen en nu krijg ik ze allemaal in één keer. Iedere spreuk laadt me op. Door het tintelen weet je dat het werkt. Voel maar.'

'Je maakt zeker een grapje,' zei Menno. 'Ik raak je pas weer aan als je haar weer normaal zit.'

Gelukkig kon Davino nog zelf lopen, ook al ging het erg moeizaam. Ze liepen langs een kast met allemaal heel oude boeken.

'Dat zijn de boeken over de strijd tussen de elfen en de tovenaars,' zei Maartje. 'Kijk maar naar de titels.' Ze las hardop voor: '"Het sluiten van de poort", en hier staat: "De overwinning op Sinistro," volgens mij is het geschreven door elfen.'

Davino knikte en liep langs de boekenkast naar de deur van de bibliotheek.

'Hè, dat is raar,' zei Menno. 'Het leek net of die boeken verdwenen toen je er langs liep.'

'Menno, nu geen geintjes,' zei Maartje. 'We moeten met Davino naar de elfenkoning. Misschien weet hij wat we aan deze overdosis spreuken kunnen doen.'

Menno haalde zijn schouders op en liep achter Maartje en Davino aan. Helemaal zeker wist hij het ook niet en die boeken stonden nu gewoon op de plank.

'Dat heb ik weer,' mompelde Menno. 'Die spreuk werkt bij mij weer anders. In plaats van beschermen tegen tovenaarsmagie, ga ik juist allerlei rare dingen zien.'

'Kan dat Davino?' vroeg Maartje bezorgd.

'Ik weet het niet,' stamelde Davino. 'Ik denk dat dit de eerste keer is dat een mensenkind die spreuk over zich heen krijgt.'

'Die spreuken maken alles in de war,' vond Menno. 'Eerst je telefoon en nu dit weer.'

'Kom we gaan verder,' zei Maartje, terwijl ze Menno en Davino met zich mee trok. Even stonden ze alle drie te schokken en ook Menno's haar stond overeind.

'Stop daar eens mee, laat me los, dat doet pijn,' riep hij verontwaardigd. Hij trok zich los, maar ging toch achter Davino en Maartje aan. Ook hij wilde wel van deze toverspreuk af. Straks verdween er nog meer, of dacht hij nog dat hij een eng monster zoals een Zwerulaar zag. Daar zat hij echt niet op te wachten. Mystica was al spannend genoeg zonder waanbeelden.

Ze liepen door naar de troonzaal.

'Jullie kunnen naar binnen,' zei de lakei. 'De koning wacht op jullie.'

Ze zagen er alle drie wat verwilderd uit toen ze voor de koning stonden. Davino's haar stond alle kanten op en hij stond nog steeds te trillen, hoewel dat wel steeds minder werd. Menno's haar stond omhoog en Maartjes haar was er veel meer door gaan krullen.

‘Wat is er met jullie gebeurd?’ vroeg de koning. Ze legden uit wat er was gebeurd en beschreven ook de jongen die als een eekhoorn in de boekenkast was geklommen.

‘Hmmm, dat klinkt als iemand die ik ken,’ zei de koning. Hij haalde diep adem en riep: ‘Pauli, onmiddellijk hier komen.’ Zo hard, dat Maartje, Menno en Davino verschrikt een stap achteruit deden.

Even later zagen ze het elfenjongetje naar voren schuifelen, tot hij vlak voor de koning stond. Waar was die zo snel vandaan gekomen? vroeg Menno zich af. Hij keek om zich heen, maar zag geen deur waar de jongen uit had kunnen komen.

‘Pauli, heb jij een toverknoop in Davino’s haar gedaan?’ vroeg de koning streng.

‘Ja vader,’ zei het jongetje bedremmeld. ‘Maar het is ongevaarlijk hoor.’

Maartje en Menno keken elkaar aan. Het was de zoon van de elfenkoning die als een eekhoorn de boekenkasten had beklommen!

De koning keek naar Davino en zei: ‘Dat betwijfel ik Pauli, kijk eens naar Davino. Dat ziet er helemaal niet ongevaarlijk uit.’

‘Wist ik veel, dat hij die spreuk zo vaak zou herhalen,’ zei Pauli. ‘Ik probeer het altijd maar een paar keer als iets niet lukt.’

De koning zuchtte diep. ‘Dat is de laatste tijd precies het probleem, Pauli. Geen doorzettingsvermogen en je denkt niet goed na. Bied je verontschuldigingen aan,’ zei hij met een tweede diepe zucht.

‘Sorry,’ zei Pauli, maar toen hij Davino’s haar zag, moest hij toch weer lachen.

‘Nu is het genoeg,’ zei de koning. ‘Je hebt er duidelijk geen spijt van. Vanaf nu heb je een week huisarrest.’

Pauli keek hem geschrokken aan. 'Maar vader, dat is niet eerlijk, je had niet gezegd dat ik daar huisarrest voor zou krijgen.'

'Ik had ook nooit gedacht dat je zo'n stunt zou uithalen,' antwoordde de koning. 'Het afgelopen jaar is je gedrag heel erg veranderd. Ik had waarschijnlijk al veel eerder in moeten grijpen. Ik snap waar het door komt, maar dit gaat echt niet. Ga *nu* naar je kamer.'

Mopperend liep Pauli naar de deur.

De koning keerde zich naar Davino. 'Mijn excuses voor mijn zoon,' zei hij ernstig. 'Je lijkt al minder te trillen, gaat het?'

De koning had gelijk. Het leek erop dat de spreuken uitgewerkt waren. Davino kreeg ook weer wat kleur op zijn wangen.

'Nu zijn we in ieder geval goed beschermd,' grapte hij. Maar de koning lachte niet.

'Davino,' zei de elfenkoning streng, 'heb jij een boodschap voor Maartje en Menno laten groeien?'

'Ja majesteit,' zei Davino verlegen en hij keek een beetje schuldig naar beneden. 'Ik wilde graag dat ze weer op bezoek kwamen. Het is belangrijk.'

'Ik snap dat je je vrienden weer wilt zien,' zei de koning. 'Maar je boodschap kwam tevoorschijn vlak bij de poort naar de mensenwereld en dat is veel te gevaarlijk. Stel dat de poort ontdekt wordt.'

'Maar ik weet helemaal niet waar de poort is,' stamelde Davino geschrokken. 'Ik heb alleen een spreuk gebruikt die ik van Castor heb geleerd. Hij zei dat ik die spreuk kon gebruiken om een boodschap naar vrienden te sturen.'

Davino was aan het leren om troubadour te worden en was in de leer bij Castor, de meester-troubadour van de elfenkoning.

‘Hmmm’, zei de elfenkoning bedachtzaam. ‘Nu goed, dan kon je niet weten waar die boodschap terecht zou komen. Spreek voor de volgende keer een andere plek af, waar je je boodschap laat groeien en denk daaraan als je de spreuk uitspreekt.’

‘Ja majesteit,’ zei Davino opgelucht.

‘Vooruit, ga maar naar Alaida’, zei de elfenkoning. ‘Ik begrijp dat Maartje haar iets wil vragen over een wolkenring. Jullie mogen wel een vliegende hond van mij lenen. Dan zijn jullie er veel sneller.’

‘Hoera, een vliegende hond,’ riep Davino. ‘Daar heb ik altijd al op willen reizen. Mogen we Elvira ook ophalen? Die wil vast ook graag naar Alaida.’

De koning knikte. ‘Veel plezier en doe Alaida de groeten.’

‘Maartje en Menno, zorgen jullie dat jullie over drie dagen weer hier terug zijn?’ vroeg Maartjes vader. ‘Dan moeten we weer terug reizen, anders is het pretpark gesloten.’

‘Ja papa,’ zei Maartje en ze gaf hem een knuffel. Ze liepen de troonzaal uit, maar vlak voor ze de deur uit gingen vroeg Maartje: ‘Majesteit, kent u een platte berg in Mystica?’

‘Oh ja, je vader vertelde al dat je iets in de wolken had gezien,’ antwoordde de koning. ‘Maar we hebben geen platte berg in Mystica. Misschien was het dit keer gewoon een wolk.’

Aarzelend knikte Maartje. Dat kon natuurlijk best, maar ze had ook tovenaars gezien op de berg en dat zie je normaal gesproken toch niet in een wolk. Ze nam zich voor om nog beter naar de wolken te kijken.

‘Kom, deze kant op naar de vliegende honden,’ riep Davino opgewonden en ze renden zonder nog om te kijken de zaal uit. Als ze dat wel hadden gedaan, hadden ze nog net de punt van een schoen uit zien steken, achter het standbeeld bij de deur.

Reizen op een vliegende hond

Achter Davino aan, beklommen Maartje en Menno de laatste treden van een lange trap. Ze stapten door een prachtig versierde deur en knepen hun ogen dicht. Ze stonden op een groot plat dak, aan de oostkant van het paleis. Het witte dak en de witte muren van de prachtige puntige torens die op elke hoek van het dak stonden, weerkaatsten het felle zonlicht. Menno pakte een zonnebril uit zijn rugzak. Maartje hield een hand boven haar ogen tegen de schittering en Davino leek nergens last van te hebben.

'Kijk, daar zijn ze.' Davino wees naar rechts.

Eerst zag Maartje alleen wat donkere schaduwen, maar zodra ze aan het felle licht was gewend, zag ze een rij vreemde dieren staan. Met hun grote vleugels leken ze op enorme vleermuizen. Maar dan een vleermuis met het ronde worstenlichaam van een teckel, met vier korte beentjes eronder. Dat zag er heel gek uit, want hun kop, met grote oren en lange scherpe tanden, leek juist heel gevaarlijk.

'Dus dit zijn vliegende honden?' vroeg Menno.

Davino knikte. Ze zagen een elf naar de eerste vliegende hond van het rijtje lopen. Hij klopte vriendelijk op de nek van het dier en klom op zijn rug. Het dier hobbelde naar de rand van het dak.

'Dat is niet erg elegant en ook niet zo snel,' vond Menno.

'Wacht maar tot hij gaat vliegen,' zei Davino. 'Dan zul je eens wat zien.' Hij had het nog niet gezegd of het dier spreidde zijn vleugels.

'Allemachtig, die zijn groot!' zei Maartje. De vliegende hond vouwde zijn vleugels helemaal uit en het leken net twee grote zeilen. Het zonlicht scheen erdoorheen, zodat ze bijna doorzichtig leken. Langs de bovenkant van de vleugel, van het lijf tot aan het puntje zat een dunne arm. Vanaf het einde van de arm liepen lange dunne botten als een waaier naar verschillende punten van de vleugel. Het leken net hele lange dunne vingers. Aan het einde van de arm zat ook nog een scherpe klauw die de vliegende hond nu enkele keren samenkneep. Door zijn armen en zijn vingers uit te strekken, spanden de vleugels. De vliegende hond klapperde drie keer met zijn vleugels en steeg zonder enige moeite op. Recht omhoog, alsof er niemand op zijn rug zat. Zodra hij hoger dan de paleistorens was gekomen, vloog hij naar voren. Binnen enkele seconden was hij nog maar een stipje aan de horizon.

'Je had helemaal gelijk, Davino,' zei Menno. 'Ze gaan echt hard. Kunnen wij met ons drieën op een vliegende hond of is dat te zwaar?'

'Ze zijn heel sterk,' antwoordde Davino. 'Ik denk zelfs dat ze ons alle vier kunnen dragen, maar ik zal het voor de zekerheid vragen.'

Een vliegende hond kon volgens de verzorger wel vijf elfenkinderen dragen, dus zelfs als ze Elvira op gingen halen, was hij sterk genoeg.

'Ik zal jullie Racer meegeven. Die is heel sterk, snel en hij luistert goed. Weten jullie hoe je hem moet verzorgen?'

'Mijn zus leert voor dierenfluisteraar en ze is al bijna klaar met de opleiding,' zei Davino trots.

'Dan is dat prima in orde denk ik zo,' zei de verzorger. Eén voor één hielp hij de kinderen op de vliegende hond te klimmen.

'Kan dat zomaar?' vroeg Menno bezorgd. 'Moet hij het niet eerst goed vinden?'

'Nee hoor, dat geldt alleen voor een privé vliegende hond. Die kunnen alleen door hun baasje bereden worden. Maar de vliegende honden van de elfenkoning zijn getraind om iedereen te vervoeren,' stelde de verzorger hem gerust.

'Jullie weten de weg? Ja? Daar gaan jullie.'

Het opstijgen voelde alsof ze in een heel snelle lift naar boven gingen. Maartje werd er zelfs een beetje misselijk van. Al gauw zag ze het paleis van de koning steeds kleiner worden. Oef, dit gaat toch wel erg hard, dacht ze, en ze greep zich stevig aan het zadel vast.

'Oké, dit is pas reizen,' zei Menno enthousiast. 'Kan hij ook snel keren of dalen?'

Dat liet Davino zich geen twee keer vragen. Hij klopte een paar keer op de nek van Racer en die dook naar beneden, langs de muren van het paleis, richting de straten van de stad. Steeds sneller.

'Stop! We vallen te pletter!' gilde Maartje. Menno zat lijkbleek achter haar, zijn angstkreet bevroor in zijn keel. Davino lachte en klopte weer op Racers nek. Racer stopte met dalen en ging parallel aan de weg vliegen.

'Pas op, een gebouw,' waarschuwde Maartje. Net op tijd kon Davino Racer omhoog sturen. Ze vlogen rakelings over het dak. Een oude elf, die naast zijn eigen vliegende hond stond, schudde boos zijn vuist naar hen.

'Mogen we wel zo laag bij de grond vliegen?' vroeg Maartje. Ze had het nog niet gezegd of vlak voor hen verscheen uit het niets een verkeersbord in de lucht.

Davino remde Racer af, zodat ze het konden lezen. Menno probeerde het aan te raken, maar zijn hand ging er dwars doorheen.

U vliegt toch wel ZAS? Stond erop.

‘Het is een hologram,’ legde Davino een beetje beschaamd uit. ‘Dat projecteren ze in de lucht als je niet goed vliegt.’

‘Wat betekent dat dan, ZAS?’ vroeg Menno nieuwsgierig.

‘Zonder Argus Streep,’ zei Davino.

‘Nu weet ik nog niets,’ zei Menno. ‘Wat is een Argus Streep?’

‘De Argus is een plant met heel mooie bloemen. Van het sap van de plant ga je allemaal dingen voelen en zien die er niet zijn,’ legde Davino uit terwijl ze langzaam verder vlogen. ‘Sommige elfen smeren een streep van het sap op hun voorhoofd om zich lekkerder te voelen en mooie dromen te krijgen. Maar het is verboden om ermee te vliegen. Dat is ook heel gevaarlijk want je denk dat je onoverwinnelijk bent en bovendien zie je dingen die er in het echt niet zijn, je hebt waanbeelden en gekke ideeën. Er zijn elfen die dachten dat ze door een boom heen konden vliegen, toen ze een streep op hadden. Alleen doordat hun vliegende hond besloot om niet meer naar de bestuurder te luisteren, werd een ramp voorkomen. Maar soms gaat het ook wel eens mis.’

‘Dus jij vloog zo slecht dat ze dachten dat je een Argus Streep op had?’ zei Menno met een grijns. ‘Misschien moet ik de teugels maar eens overnemen.’

Maar daar wilde Davino niets van weten. ‘Ik zal me vanaf nu aan alle vliegregels houden, tot we uit de stad zijn en er geen andere vliegende honden meer in de buurt zijn. Goed, nu eerst op weg naar Elvira en dan door naar Alaida. Ik ben blij dat ik haar weer zal zien.’

‘Elvira of Alaida?’ vroeg Maartje.

‘Allebei eigenlijk wel,’ antwoordde Davino. ‘Maar ik bedoelde Alaida. Ik wil haar al een tijdje iets vragen.’

‘Wil je haar spreken omdat je bezorgd bent?’ vroeg Maartje.

Davino knikte.

'Maar waarom heb je niet tegen de elfenkoning gezegd dat je bezorgd was en dat je ons daarom die boodschap had gestuurd?' bedacht Maartje. 'Is het niet belangrijk om hem te waarschuwen?'

Davino haalde zijn schouders op. 'Ik heb het al een paar keer gezegd, maar hij gelooft me niet. Ik denk dat Alaida het beter zal begrijpen.'

'Waar maak je je dan zo bezorgd over?' vroeg Menno. 'Door die toverknoop en die overdosis spreuken, heb je ons dat nog niet verteld.'

'Ik heb het idee dat iedereen anders reageert dan anders,' vertelde Davino. 'Niemand lijkt meer iets voor een ander over te hebben, gewoon om iemand gelukkig te maken. Ze willen er steeds vaker iets voor terug hebben.'

'Voor wat, hoort wat,' zei Maartje.

'Ja precies,' zei Davino. 'Dat is het. En dat lijkt mij teveel op hoe de tovenaars leven. Ik ben dus bang dat hun magie de overhand aan het krijgen is.'

'Bedoel je dat er geen evenwicht meer is tussen de goede elfenmagie en de slechte tovenaarsmagie?' zei Maartje bezorgd.

'Ja,' zei Davino. 'Weet je nog wat de voorspelling van koningin Tansia daarover zei?'

Maartje en Menno schudden hun hoofd: 'Niet precies meer,' zei Maartje. 'Hoe ging het ook al weer?'

Davino citeerde de voorspelling als een echte troubadour:

'Als menigeen vergeten is wat dreigde in de nacht
Als iedereen tevreden lijkt en niemand uit een klacht
Dan keert het tij, dan keert hij terug, verzamelt hij de kracht
De sleutels zijn niet veilig meer, dan grijpt hij naar de macht.

Als geel en roze saam, vol aan de hemel staan
Als mensenvoeten plots weer door het rijk heen gaan
Als vijf geen vijf meer zijn maar vier
Dan lijkt het stil en pais en vree, maar is het onheil hier

Met tranen van geluk, ontketent hij een storm
Bescherm ons dan met alle macht, de krachten zijn enorm
Let op de wolken, wees alert, dat is uw aller taak
De sleutels zijn de sleutel, vergeet dat niet, ontwaak!!

Dat heb ik in de bibliotheek opgezocht na ons vorige avontuur en uit mijn hoofd geleerd,' zei hij trots. 'Ik had het gevoel dat we het nog nodig zouden hebben. Volgens mij is de voorspelling namelijk nog niet helemaal voorbij.'

'Hoezo, niet voorbij?' riep Menno verbaasd. 'We hebben toch gezorgd dat de tovenaars de tranen van geluk niet te pakken hebben gekregen?'

'Dat klopt, maar ik weet nog niet wat ze met die sleutels bedoelde,' legde Davino uit. 'Tijdens onze vorige reis, toen we Tjanda gingen redden, hebben we niets met sleutels gedaan.'

'Wel waar,' zei Menno. 'De armband die we van de Zwerulaar hadden teruggepakt, was een sleutel. Zonder die sleutel hadden we niet kunnen ontsnappen uit de afsluitbare grot in de tovenaarsrots.'

Maartje knikte, ze was het met Menno eens. 'Volgens mij is de voorspelling echt uitgekomen.'

'Maar de voorspelling zegt sleutels, niet sleutel,' zei Davino. 'Bovendien vergeten jullie het tweede deel van de voorspelling. Het deel dat Castor de meester-troubadour ons vertelde. Dat ging zo:

De eerste slag biedt ons een kans, maar is slechts het begin.
Een enkeling houdt de balans, daar zijn wij kwetsbaar in.
Het magisch evenwicht dat is, mag niet worden verstoord.
Opent de deur zeker en wis, naar krachten ongehoord.

Het kind dat op de scheidslijn staat
Verbindt in zich het goed en kwaad
De strijd gaat voort, wordt slechts beslecht
Als mens met elf verbonden vecht.'

Menno zat in gedachten met zijn mond open, tot er een groot insect invloog. Verschrikt spuugde hij het uit.

'Gatsie,' zei hij.

'Jazeker, gatsie,' zei Davino, alsof Menno het over de voorspelling had. 'Volgens mij was ons vorige avontuur de eerste slag. Ik zag dat de elfen in het paleis zo raar gingen doen en heb onderzoek gedaan in de Koninklijke bibliotheek. Toen de tovenaars de vorige keer zoveel macht kregen en het evenwicht van de magie dus verstoord was, gingen de elfen ook allemaal raar doen.'

'Hoe gingen ze dan doen?' vroeg Maartje.

'Ze wilden alleen iemand helpen als ze er zelf beter van werden,' vertelde Davino. 'Dus iemand helpen omdat je kunt helpen en je daar gelukkig door voelen, was niet meer genoeg. Op het laatst was het zo erg dat niemand meer iets voor een ander wilde doen. Toen was het zelfs zo dat je niet geholpen werd als je op straat was gevallen en veel pijn had.'

'Maar zo erg is het nu toch niet?' vroeg Menno.

'Nee hoor,' zei Davino. 'Deze vliegende hond is daar het bewijs van. Die heeft de koning ons geleend om ons te helpen.

Maar ik heb het gevoel dat er wel een verschil is met vroeger. Daarom wilde ik naar Alaida. Zij is degene met de meeste goede magie, en zij zorgt voor het evenwicht met de slechte magie van de tovenaars. Zij kan er misschien voor zorgen dat er iets meer goede magie komt, zodat de goede en slechte magie weer in evenwicht zijn.'

Zwijgend vlogen ze verder, allemaal diep in gedachten verzonken.

Na een tijdje vlogen ze over een prachtig blauw meer met aan de oever een paar huizen, een groot gebouw en een heel lange schuur.

'Kijk,' zei Davino. 'Dat grote gebouw is de school van Elvira. Daar leert ze alles over dieren, zodat ze een echte dierenfluisteraar kan worden. Die schuur is de stal.'

Er liepen allemaal dieren rond de gebouwen en het meer.

'Horen al die dieren bij de school?' vroeg Menno.

Davino knikte. 'Iedereen die een ziek dier heeft of een dier dat niet wil luisteren, kan het naar de school brengen. Dan proberen ze het beter te maken of af te richten. Daarom zijn hier altijd veel dieren. Maar de studenten mogen ook hun eigen dieren meenemen.'

'Is dat Fantje?' vroeg Menno en hij wees naar een grote oranje paars gestreepte Kolossofant die aan de rand van het meer stond.

'Ja, dat is hem,' antwoordde Davino. 'Hij ziet er goed uit. En dat is Tjanda.' Hij wees op een dier dat naast de Kolossofant stond en erg op een lama leek.

'Leuk om ze weer te zien,' vond Maartje. 'Hebben we tijd om ze straks even te begroeten?'

'Natuurlijk,' antwoordde Davino. 'Dat zullen ze vast heel leuk vinden.'

Ze cirkelden om de huizen heen, naar een groot weiland waar ze veilig konden landen.

Toen ze weer op de grond stonden, keek Davino om zich heen. 'Wat vreemd,' zei hij. 'De vorige keer dat ik op bezoek kwam, rende Elvira naar buiten om me te begroeten. Nou ja, misschien is ze in de stal en heeft ze niet gezien dat we er zijn. Kom, we gaan haar zoeken.'

Ze vonden Elvira inderdaad in de stal. Ze deed water in de drinkbakken van de dieren.

'Hallo Elvira,' riep Maartje enthousiast. 'Wij zijn er weer. Leuk om je weer te zien. Hoe is het met je?'

'En ga je mee naar Alaida?' voegde Menno toe.

Elvira keek op en leek helemaal niet zo blij om hen te zien. 'Als ik met jullie meega, helpen jullie dan de stallen uitmesten?' vroeg ze.

'Als ik bezoek krijg, neemt dat altijd veel tijd in beslag en dan moet ik daarna harder werken,' zei ze toen ze haar een tijdje verbaasd hadden aangestaard. 'Dus lijkt het me logisch dat jullie me helpen.'

De andere drie keken elkaar aan. Dat was niet het welkom dat ze hadden verwacht.

'Zie je nu wat ik bedoel?' fluisterde Davino. 'Voor wat, hoort wat, zelfs Elvira heeft er last van.'

'Volgens mij heeft Elvira een toverspreukje nodig,' zei Menno in Davino's oor. Davino knikte.

'Dat denk ik ook,' fluisterde hij terug en zei de spreuk die hij zo vaak had geoefend in de bibliotheek. De spreuk tegen de effecten van tovenaarsmagie. Het resultaat was opmerkelijk.

‘Oh, ik vergeet bijna om te zeggen hoe fijn ik het vind jullie weer te zien,’ zei Elvira terwijl ze Maartje omhelsde. ‘Leuk om weer samen op reis te gaan. Vergeet die stallen maar, ik heb ze net gedaan en ik kan de rest van het werk gemakkelijk doen als ik terugkom. Ik zal even aan mijn leraar vragen of ik weg mag.’

‘Ik zou maar met haar meegaan en haar leraar ook op een spreukje trakteren,’ zei Menno. ‘Anders mag ze straks niet eens gaan.’

Davino liep achter Elvira aan en Maartje en Menno liepen naar Fantje en Tjanda om ze te begroeten. Het leek wel of Tjanda hen herkende. Ook Fantje leek blij om hen te zien. Ze krabbelden hem tussen zijn paarse oren en hij stond tevreden een krekel te eten. Na een tijdje kwamen Davino en Elvira samen terug.

‘Geen probleem, we kunnen gaan,’ zei Elvira.

‘Maar die spreuk was wel nodig,’ zei Davino. ‘Het effect is hier veel sterker dan in het paleis. Daarom duurde het ook iets langer voordat we terugkwamen. Ik heb de spreuk maar bij iedereen hier gedaan.’

‘Waarom is het effect hier sterker?’ vroeg Maartje. ‘Komt dat omdat we hier dichter bij de tovenaarsrots zijn?’

‘De tovenaarsrots ligt hier ook ver vandaan,’ zei Davino. ‘Nee, het lijkt erop dat het erger is geworden en dat kan maar op twee manieren. Óf de magie van de tovenaars is sterker geworden, óf de goede magie is minder geworden.’

‘Misschien hebben de tovenaars tóch een doorgang naar de mensenwereld gevonden,’ zei Menno bezorgd. ‘Dan krijgen ze toch meer macht en magie?’

‘Dat klopt,’ zei Davino. ‘We moeten maar direct naar Alaida gaan. Zij is de enige die hier iets aan kan doen. Zij weet hoe je voor meer elfenmagie kunt zorgen.’

Ze klommen alle vier op de vliegende hond en gingen op weg. Na een tijdje stevig doorvliegen, vlogen ze boven de bossen rond het hutje van Alaida.

'Oef, best moeilijk om hier te landen,' zei Davino.

'Daar kan het nog net,' zei Elvira en ze wees naar het grasveldje voor Alaida's huis. Ze had gelijk. De vliegende hond kon daar prima landen.

'Wat gek,' zei Elvira. 'Het lijkt wel of er hier al eerder een vliegende hond is geland. Kijk maar naar die remsporen en naar die pootafdrukken. Dat zijn precies de pootjes van een vliegende hond.'

'Misschien heeft ze bezoek gehad,' opperde Menno.

'Menno, wil jij water halen met die emmer?' vroeg Elvira. 'Dan borstel ik Racer even af. Alaida vindt het heel belangrijk dat we de dieren goed verzorgen. En ik trouwens ook.'

Ondertussen liep Davino naar het huisje. 'Oehoe, Alaida, wij zijn het,' riep hij.

Het bleef doodstil.

Davino klopte op de deur en door het kloppen ging de deur langzaam en krakend open.

'Alaida,' riep hij weer.

Maar het bleef stil.

'Volgens mij is ze er niet,' zei Maartje. 'Misschien is ze in het bos om kruiden te zoeken.'

'Nee, dat kan niet,' zei Davino. 'Hier zie ik haar mand en haar kruidenschaar en zonder die twee gaat ze nooit het bos in.'

'Laten we maar naar binnen gaan,' stelde hij voor. 'Misschien vinden we daar een aanwijzing waar ze naar toe is gegaan en wanneer ze weer terugkomt. Ik weet zeker dat ze het niet erg vindt als we binnen wachten. Straks wordt het donker en het is niet veilig, 's nachts buiten in het bos,. Menno en Elvira, komen jullie ook?'

Voorzichtig gingen ze het huisje binnen.

Waar is Alaida?

'Oh, jee!' riep Davino, toen hij als eerste Alaida's woonkamer binnenging.

'Wat is er?' vroeg Menno. Hij keek de kamer rond, maar alles zag er prima uit. Precies zoals bij hun eerste bezoek. In de keuken stond zelfs een schaal met koekjes. Daar blijf ik maar vanaf, dacht Menno. De vorige keer had hij stiekem een koekje genomen en dat was toch vies geweest!

'Ik zie niets bijzonders', zei hij. 'Waarom zei je "oh jee"?'

'Het huis is vol magie,' antwoordde Elvira. 'Zoveel magie heb ik nog nooit gevoeld.'

'Ik voel het niet alleen,' zei Maartje, 'ik ruik het ook en als ik door mijn mond adem proef ik het zelfs.'

'Ja,' zei Davino. 'Ik proef een zoete en een zure smaak. Zouden dat de goede en slechte magie zijn?'

'Ik weet het niet,' zei Elvira. 'Maar als hier slechte magie is, dan zijn de tovenaars hier geweest. Dat kán niet goed zijn.'

'Maartje, jij hebt de tovenaars toch in de wolken gezien?' vroeg Menno.

'Ja, dat klopt. Ik zag ze op een platte berg en ze waren iets aan het maken. Maar ik zag Alaida niet, dus ik weet niet of het hier iets mee te maken heeft.'

'Misschien kun je nog eens in de wolken kijken of je iets over Alaida ziet,' stelde Davino voor.

Maartje vond het een goed idee. Met Elvira en Davino ging ze naar buiten en keek omhoog. De lucht was prachtig blauw en de zakkende zon kleurde de horizon zacht geel en oranje. Er was niet één wolkje in de lucht.

'Had ik maar een wolkenring,' zuchtte Maartje.

‘Heb je de jouwe dan niet bij je?’ vroeg Elvira.

‘Hoezo?’ vroeg Maartje. ‘Ik heb toch geen wolkenring?’

‘Toen je de vorige keer naar Mystica kwam had je er wel één,’ zei Elvira. Ze greep Maartjes hand. ‘Kijk, je hebt hem gewoon om. Waarom heb je er nog één nodig?’

‘Ik wist niet dat dat een wolkenring was,’ zei Maartje verbaasd.

‘De bijnaam voor de steen in je ring is kattenoog, omdat hij er zo uitziet. Maar de officiële naam is wolkenring. Alleen noemt niemand hem meer zo. Waarom weet ik niet. Het is een gidsring, weet je nog? Hij leidt je naar het juiste pad.’

‘In het boek van koningin Tansia over wolkenlezen, dat ik van de elfenkoning heb gekregen, stond dat ik hiermee wolken kon roepen,’ legde Maartje uit. ‘Ik ga het direct proberen!’

Enthousiast pakte ze het boek uit haar rugzak en liep naar het midden van het grasveld voor Alaida’s huisje. Ze sloeg haar boek open en las:

"Strek je armen naar de lucht en wijs met je wijsvingers naar de wolken die je bij elkaar wilt brengen en trek ze langzaam naar elkaar toe. Als je de wolkenring goed gebruikt, kun je zelfs in een helder blauwe lucht een wolk maken."

Nou, dan moet ik hem maar goed gebruiken, dacht ze. Want er is geen wolk te zien. Ze stond op en strekte haar armen naar de lucht. Hoe kan ik nu een wolk maken? Gelukkig besloot op dat moment een klein schapenwolkje door de lucht naar haar toe te drijven.

‘Oh, gelukkig,’ zei ze zachtjes tegen zichzelf. Ze richtte haar ring op de wolk en begon de dunne sliertjes wolk steeds dichter bij elkaar te vegen.

Davino en Elvira stonden vol bewondering toe te kijken.

'Ze gebruikt magie,' zei Davino. 'Voel jij het ook?' Elvira knikte.

Steeds meer wolken kwamen aandrijven en werden door Maartje bij elkaar gebracht.

Menno kwam ook uit het huisje lopen. 'Hé, wat doe je nu?' riep hij lachend. 'Je lijkt wel een vogelverschrikker!'

'Shhhht,' siste Elvira. 'Ze verzamelt de wolken. Kijk maar.'

Menno keek omhoog naar de lucht en zag inderdaad dat de dunne schapenwolkjes bij elkaar werden gedreven en langzamerhand een grote wolk werden.

'Zie je al iets?' vroeg hij nieuwsgierig.

Maartje stopte met het verzamelen van de wolken en keek eens goed naar de donkergrijze wolk die ze net had gemaakt. Het zag er dreigend uit tegen die heldere avondlucht.

'Nee, eigenlijk nog niets,' zei ze. 'Ik heb toch alles gedaan wat er in het boek stond. Misschien moet ik nog meer wolken verzamelen.' Na een tijdje had ze een enorme grijze wolk gemaakt, maar nog steeds kon ze er niets in lezen.

'Het werkt niet,' zei Davino teleurgesteld. 'Kom, we gaan naar binnen. Misschien komen we daar te weten wat er hier is gebeurd.' Hij draaide zich om en ging met Elvira en Menno naar binnen. Maartje bleef alleen achter. Ze ging op het gras zitten met haar boek op haar schoot om alles nog eens goed door te lezen. Ze had het gevoel alsof ze de anderen in de steek had gelaten. Dit was toch haar gave? Waarom lukte het nu niet? Ze las alle bladzijden over het beïnvloeden van wolken nog een keer, maar er stond niets nieuws.

'Ach boek,' zei ze teleurgesteld. 'Stond er maar iets, waar ik wat aan heb.'

Ze schrok op uit haar boek toen haar telefoon piepte. Weer had ze een leeg bericht zonder afzender. Wat is hier toch aan de hand? vroeg ze zich af.

Pats

Er viel een regendruppel op haar boek.

'Wel verdraaid,' mopperde Maartje. 'Heb ik nu een regenwolk gemaakt?' Ze sloot het boek en liep naar binnen. Achter haar wapperde een papiertje uit haar boek. Het landde onder een struik.

'Hebben jullie iets gevonden?' vroeg ze toen ze Davino zag.

'Nee, helemaal niets,' zei Davino. 'Alles ziet er net zo uit als vorige keer. Misschien maken we ons te druk en heeft ze een experiment gedaan met tovenaarsmagie. Straks is ze gewoon naar Crenby al Berion om inkopen te doen.'

'We hebben wel iets gevonden,' zei Menno met een lach. 'Een pot met eten boven het uitgedoofde vuur. Denk je dat Alaida het goed vindt als we dat opeten? Ik heb erg veel honger.'

'Ik denk dat het wel mag,' antwoordde Elvira. 'Als Alaida hier was geweest, had ze ons vast ook eten gegeven. Ik zal het vuur even aanmaken.'

Na het eten zaten ze nog even na te praten bij het vuur.

'Ik heb ook koekjes in de keuken gezien,' zei Maartje. 'Zullen we die als toetje eten?'

'Beter van niet,' zei Elvira. 'Alaida maakt altijd koekjes en taarten die je gave versterken. Ik weet niet wat deze koekjes doen, dus kunnen we ze maar beter laten liggen. Ik stel voor dat we gaan slapen en kijken of Alaida morgen terug komt.'

'Ja, ik ben best moe,' zei Davino. 'Eerst al die spreuken over me heen en daarna die tocht met de vliegende hond. Ik ben uitgeput.'

Het duurde niet lang of ze waren alle vier in een diepe slaap verzonken.

Midden in de nacht zat Menno rechtop in zijn bed. Verward wreef hij in zijn ogen. Wat gebeurt er? Waar ben ik? Wat was dat? Die gedachten schoten door zijn hoofd. Hij keek om zich heen, maar de andere drie lagen nog rustig te slapen. Zou iemand gesnurkt hebben en was hij daar wakker van geworden? Hij luisterde nog eens goed. Ja hoor, daar maakte Elvira een knor geluidje en gaf Davino grommend antwoord. Menno grinnikte. Dat was echt grappig, die snurkende elfen. Daar zal ik ze eens mee plagen. Hij draaide zich weer op zijn zij om verder te slapen.

Kleng

'Wat was dat?' zei hij verrast.

'Huh? Waddizzer?' vroeg Maartje slaperig.

'Ik dacht dat ik een geluid hoorde,' fluisterde Menno.

Kletter

'Ik hoor het ook,' antwoordde Maartje. 'Laten we gaan kijken, misschien is Alaida terug.'

'Of de tovenaars, als die hier geweest zijn. Jullie roken toch zoete en zure magie?' bedacht Menno.

'Ja, en we proefden het,' vulde Maartje aan. 'Maar misschien was dat wel allemaal goede magie. Ik heb het nog nooit geproefd en Davino en Elvira ook niet. Maar goed, we kunnen beter voorzichtig zijn. Maak jij de anderen wakker?'

Menno liep naar Elvira en Davino en schudde aan hun schouders. Zachtjes liepen ze even later achter elkaar aan, naar de gang.

'Wacht,' fluisterde Menno. Hij liep terug naar de slaapkamer. Na wat gestommel was hij terug.

'Wat heb jij daar nu?' vroeg Elvira.

‘Een kleerhanger,’ zei Menno met gloeiende wangen. ‘Ik kon niets anders vinden en wie weet wat daar beneden lawaai aan het maken is. Hier kan ik hem tenminste een tik mee verkopen.’

Zachtjes liepen ze de gang in. Menno gewapend met een kleerhanger voorop. Van de spanning en doordat het er zo grappig uitzag, kon Maartje haar lach bijna niet inhouden. Voorzichtig deden ze de deur naar de woonkamer open en gluurden naar binnen. Niemand!

Kloink

‘Het komt uit de keuken,’ fluisterde Davino. Ze slopen naar voren en keken voorzichtig om het hoekje van de deur. In de keuken, met zijn rug naar hen toe, stond een kleine elf. Met een stuk brood was hij het laatste restje eten uit de kookpot aan het halen.

‘We hadden toch moeten afwassen,’ zei Menno. ‘Kijk maar eens wat een ongedierte je in huis haalt als je dat niet doet.’

De jongen liet zijn brood vallen en rende vliegensvlug naar de deur, trok hem open en wilde naar buiten rennen.

‘Dat zou ik niet doen,’ zei Elvira. ‘Het is gevaarlijk ’s nachts in het bos en de manen zijn nog best vol.’

Aarzelend bleef de jongen op de drempel staan. Hij leek te beseffen dat hij geen andere keus had dan te blijven. Langzaam draaide hij zich om.

‘Pauli!’ riep Davino verbaasd. ‘Wat doe jij nu hier?’

De zoon van de elfenkoning keek naar zijn voeten. ‘Ik hoorde dat jullie naar Alaida gingen en ik wilde mee.’

‘Jij had toch huisarrest?’ vroeg Maartje. ‘Wordt je vader nu niet boos?’

Pauli haalde zijn schouders op. Dat leek hem niets uit te maken.

'Volgens mij moeten we je zo snel mogelijk weer naar je vader terugbrengen,' zei Davino. 'Die zal zich wel erge zorgen maken.'

'Nee!' Pauli schudde verwoed met zijn hoofd. 'Nee, ik wil niet terug naar het paleis. Daar is het saai. Mag ik alsjeblieft blijven. Ik kan jullie helpen.'

'Helpen?' vroeg Menno. 'Waarmee dan? Volgens mij zijn we hier gewoon rustig op Alaida aan het wachten.'

'Ik heb iets gevonden dat jullie niet hebben gevonden,' zei Pauli.

'Wat dan?' vroeg Elvira nieuwsgierig.

'Eerst beloven dat ik mag blijven,' zei Pauli.

'Als je echt iets hebt gevonden dat ons helpt,' zei Elvira, 'dan mag je blijven.'

'Elvira, ben je gek geworden?' vroeg Davino. 'We kunnen de kroonprins hier niet zomaar houden. Straks wordt de koning boos en ben ik mijn plek als leerling-troubadour kwijt.'

'Ach, maak je toch niet zo druk Davino,' antwoordde zijn zus. 'Wij hebben alles van onder tot boven afgezocht en hebben niets gevonden. Hij heeft heus niets nuttigs gevonden hoor.'

'Dus ik mag blijven als ik jullie kan helpen?' vroeg Pauli.

'Vooruit dan maar,' zei Davino aarzelend.

'We moeten de koek eten,' zei Pauli.

'De koek eten?' vroeg Elvira. 'Waarom?'

'Dat weet ik niet,' zei Pauli. 'Maar dat stond op dit papiertje.' Hij haalde een papiertje uit zijn broekzak. 'Dat heb ik buiten gevonden.'

'Wat een onzin,' zei Menno. 'Daar trappen we echt niet in hoor. Dat is gewoon een papiertje waar je zelf iets op hebt geschreven.'

'Nee, echt niet,' zei Pauli. 'Jullie moeten me vertrouwen.'

‘Tot nu toe heb je anders nog niet veel gedaan om ons vertrouwen te winnen,’ vond Davino.

‘Laten we het maar proberen,’ zei Maartje. ‘Als het onzin is, kunnen we Pauli morgen naar huis sturen.’

Ze liepen naar de schaal met koekjes en namen alle vijf een koekje.

‘Hmmm, vanille,’ zei Maartje. Davino en Elvira knikten en aten enthousiast van hun koekje.

‘Vanille?’ zei Menno. ‘Bordkarton zul je bedoelen.’ Vol afschuw spuugde hij zijn koekje uit. Boven de gootsteen stond ook Pauli zijn koekje uit te spugen.

‘Gatsie, het smaakt naar de stinkende adem van een vliegende hond!’

‘Wat raar dat het bij jullie anders smaakt,’ zei Elvira.

‘Ik denk dat het niet voor jullie bedoeld is,’ zei Davino.

‘Ik snap dat ik anders ben,’ zei Menno. ‘Ik heb geen elfenbloed. Maar waarom smaakt het dan vies voor Pauli?’

‘Ja, dat is vreemd,’ vond ook Davino.

‘Over vreemd gesproken,’ zei Maartje. ‘Moet je daar eens kijken.’ Ze wees naar het aanrecht. ‘Het trilt daar van de magie.’

‘Je hebt gelijk,’ zei Elvira. ‘Zien jullie dat ook?’

Menno en Pauli schudden hun hoofd, maar Davino knikte. Hij zag het ook.

‘Ik denk dat het koekje ervoor zorgt dat je deze magie kunt zien,’ zei hij. ‘Tenminste, als het voor je bedoeld was.’ Hij liep naar de magische plek op het aanrecht.

‘Davino, hoe kunnen we de magie laten werken?’ vroeg Elvira.

‘Juist,’ zei Davino bedachtzaam. ‘Je hebt gelijk. We moeten hem activeren. Ik denk dat ik daar wel een spreuk voor weet.’

Hij mompelde een spreuk en het aanrecht hield op met trillen.

‘Wat is er nu gebeurd?’ vroeg Maartje. ‘Het trillen is opgehouden, maar verder is er niets veranderd. Wat raar.’

‘Horen jullie dat ook?’ vroeg Pauli opeens.

‘Wat is er dan?’ vroeg Menno.

‘Ik hoor gesuis, het komt van buiten,’ antwoordde Pauli. Nieuwsgierig trok hij de keukendeur open. Met een gil sprong hij achteruit. Een wolk van vlinders, in alle kleuren van de regenboog, kwam de keuken binnen. Angstig sloeg Pauli om zich heen. Ze cirkelden om zijn hoofd en zijn benen en kwamen steeds dichterbij. Maartje sprong van schrik op de keukenstoel.

‘Kalm aan,’ zei Elvira. ‘Het zijn maar vlinders.’

Langzaam kwam Pauli tot bedaren. De vlinders vielen hem ook niet langer aan, maar vlogen allemaal naar het aanrecht waar ze vlak bij elkaar gingen zitten.

‘Wat doen ze nu?’ vroeg Elvira. ‘Normaal kruipen vlinders niet zo dicht op elkaar. Zeker niet van verschillende soorten. Zou er honing liggen?’

‘Het zijn woorden,’ zei Maartje.

‘Wat bedoel je?’ vroeg Davino.

‘Kom maar van bovenaf kijken, dan zie je het wel,’ zei Maartje. Davino klom bij haar op de stoel.

‘Je hebt gelijk. De vlinders maken woorden. Er staat:

“Haal Leonardo”’

‘Leonardo?’ vroeg Menno. ‘Wie is Leonardo?’

Elvira haalde haar schouders op, maar Davino wist het.

‘Volgens mij weet ik wie het is. Heette de leraar van Alaida niet zo? Je weet wel, waar ze de plattegrond van de tovenaarsrots van had gekregen.’

‘Oh, je bedoelt die plattegrond die jij bent kwijtgeraakt?’ vroeg Menno plagend.

Davino werd rood, maar haalde zijn schouders op. ‘Ja, dat klopt, die ben ik verloren, maar daardoor ging de Zwerulaar wel mooi weg.’ Daar moest Menno hem gelijk in geven.

‘Je hebt gelijk. Misschien was het maar goed dat hij die plattegrond pakte. Anders waren we er misschien niet meer geweest.’

‘Kom eens kijken,’ klonk de stem van Maartje uit de woonkamer. ‘Hier zijn de vlinders ook heen gegaan. Ze zijn op een boek gaan zitten. Het lijkt nu net of het een regenboogkaft heeft. Moet je eens kijken wat een kleuren.’

Ze ging met haar hand naar het boek en de vlinders vlogen op. Zodra ze het boek vastpakte, gingen de vlinders op haar hand zitten. Zo dicht mogelijk bij het boek. ‘Dat kietelt,’ lachte Maartje. Ze sloeg het boek open en de vlinders vlogen in een wolk om haar heen. Ze bladerde door het boek. De anderen kwamen dicht om haar heen staan om mee te lezen.

Ze sloeg de bladzijden om, op zoek naar de reden waarom de vlinders op het boek waren gaan zitten. ‘Kijk daar staat een tekst.’ Ze had het nog niet gezegd of alle vlinders vlogen naar die pagina en gingen erop zitten.

‘Hé, zo kan ik niets lezen,’ riep ze. Ze wapperde met haar handen om de vlinders weg te jagen. Even gingen ze weg, maar ze kwamen direct weer terug.

‘Kunnen jullie ze wegjagen?’ vroeg Maartje. ‘Dan kan ik de tekst lezen.’

Al snel stonden de andere vier met hun armen te maaien en druk te blazen om de vlinders weg te houden. Dat was niet gemakkelijk. Vooral Pauli en Menno hadden bijna geen effect.

‘Die vlinders doen juist het tegenovergestelde van wat ik wil dat ze doen,’ zei Menno gefrustreerd. ‘Misschien komt dat omdat ik het koekje niet heb gegeten. Ik hou er maar mee op. Misschien helpt het als wij er juist niet bij zijn. Kom Pauli, we gaan naar de keuken.’

Menno had gelijk. Zodra hij en Pauli de woonkamer uitliepen, hielden de vlinders op met het bedekken van de pagina.

‘Dit is een boek met het deel van de voorspelling dat Castor ons vertelde,’ zei Davino. ‘Ik denk dat hij het aan Alaida heeft gegeven.’

‘Alaida heeft allemaal aantekeningen gemaakt bij de voorspelling,’ riep Maartje naar de keuken.

Samen met Davino en Elvira, staarde ze naar Alaida’s aantekeningen en probeerde er wijs uit te worden.

‘Kijk, hier staat “te kwetsbaar” bij “enkeling”,’ wees Maartje. ‘Zou dat over haarzelf gaan? Omdat zij voor de goede magie zorgt die de tovenaars in toom houdt?’

‘Er staat ook “Leonardo?” bij,’ zei Davino. ‘Misschien dacht ze dat hij de oplossing was.’

‘Wel met een vraagteken, dus dat wist ze niet zeker,’ zei Elvira.

‘De boodschap die hier staat is duidelijk,’ schreeuwde Pauli uit de keuken. ‘Ze heeft besloten dat Leonardo kan helpen en is hem gaan halen. Dat betekent het: “ik haal Leonardo”. Het is gewoon een boodschap om te vertellen waar ze naar toe is.’

Maartje knikte. Daar had ze nog niet aan gedacht.

‘Alaida merkte vast ook dat de effecten van de tovenaarsmagie sterker werden en heeft besloten er iets aan te doen door Leonardo te halen,’ zei Davino. ‘Het is mogelijk. Gelukkig maar, want ik begon me al zorgen te maken over Alaida.’

De eerste slag biedt ons een kans,
maar is slechts het begin.
Een enkeling houdt de balans,
daar zijn wij kwetsbaar in.

Het magisch evenwicht dat is,
mag niet worden verstoord.
Opent de deur zeker en wis,
naar krachten ongehoord.

Het kind dat op de scheidslijn staat
Verbindt in zich het goed en kwaad
De strijd gaat voort, wordt slechts beslecht
Als mens met elf verbonden vecht.

→ Te Kwetsbaar!!!

Leonardo?

Noord Merkantarië: geen tunnels: wormenvallen

moeilijk toegankelijk → te voet?

Let op valstrikken!

‘Kijk, dit zijn aantekeningen over de reis,’ zei Elvira. ‘Er staat: “Noord-Merkantarië: geen tunnels: wormenvallen” en “moeilijk toegankelijk > te voet?” Dat klinkt als een zware tocht. “Geen tunnels” betekent vast dat de aardmannetjes er geen tunnels naartoe hebben.

‘Of dat ze er niet door kunnen, want er staat ook wormenvallen,’ zei Davino. ‘Ze is volgens mij te voet gegaan.’

‘Het klinkt als een lange reis,’ zei Maartje. ‘Jammer, dan zien we haar deze keer vast niet.’ Ze geeuwde luid.

‘Zullen we maar gaan slapen?’ stelde Elvira voor. ‘Ik denk dat we morgen weer terug moeten vliegen.’

‘Ja’, antwoordde Davino. ‘Pauli moet echt terug naar het paleis en ik denk dat de elfenkoning wil weten dat Alaida op reis is naar Leonardo.’

Ze gingen terug naar hun bedden en ook voor Pauli was er nog een slaapplaats. Vlak voor hij in slaap viel, keek Menno nog eens naar Pauli. Hij was in slaap gevallen met een tevreden glimlach op zijn gezicht. Waar ben jij zo tevreden over? vroeg Menno zich af. Hij haalde zijn schouders op. Misschien alleen omdat het een echt avontuur was. Dat vond hij zelf ook altijd leuk. En ook Menno viel in slaap met een glimlach om zijn mond.

Op zoek naar Leonardo

'Maartje, kom je? We zijn klaar om te vertrekken,' riep Menno.

De vliegende hond stond klaar om op te stijgen en even verderop stond Pauli naast zijn vliegende hond. Hij zou als tweede vertrekken.

Vlak voor ze de deur achter zich dicht deed, keek Maartje nog een keer omhoog. De dikke grijze regenwolk die ze gisteren verzameld had, hing nog steeds boven Alaida's huisje.

'Ik zie iets, ik zie iets!' riep ze enthousiast naar de anderen. 'Het werkt toch! Nu zie ik wel iets in mijn wolk.'

'Waar heeft ze het over?' vroeg Pauli.

'Ze kan wolkenlezen,' legde Davino uit.

'Wat zie je dan?' vroeg Elvira nieuwsgierig.

'Ik zie weer die platte berg, maar nu zie ik wat ze gemaakt hebben. Het is een grote kooi! Eromheen staan tovenaars. Het lijkt wel of ze praten met iemand in die kooi. Oh, nee toch!' vol schrik sloeg Maartje haar hand voor haar mond.

'Wat is er?' vroeg Menno bezorgd. 'Zie je iets naars?'

'Het is Alaida,' fluisterde Maartje. 'Ze zit in die kooi en ze kijkt heel erg boos.'

'Weet je het zeker?' vroeg Elvira.

'Hoe groot is haar schaduw?' vroeg Davino tegelijkertijd.

'Wat is dat nu weer voor een rare vraag?' zei Menno. 'Dat ligt er toch aan hoe laag de zon staat? Wil je weten hoe laat het daar is?'

'Nee,' antwoordde Davino. 'In Mystica is je schaduw niet lang door de zon, maar door je magie. Hoe sterker je magie is, hoe langer en groter de schaduw. Weet je niet meer hoe groot Alaida's schaduw was?'

Maartje knikte. Ze wist het nog goed. De vorige keer dat ze Alaida had gezien, was ze enorm geschrokken van haar enge grote schaduw. Maar misschien was dat ook omdat Alaida haar toen had betrapt, terwijl ze stiekem, 's nachts, de aardmannetjes aan het oproepen was. Als je stiekem bezig bent schrik je natuurlijk extra.

'Haar schaduw is nog steeds heel erg groot,' zei ze. 'Hij steekt zelfs uit de kooi en de tovenaars wijzen ernaar. Volgens mij vinden ze dat maar niets, dat die schaduw niet in de kooi zit.'

'Goed zo, Alaida!' zei Menno.

'Hoezo, "Goed zo"?' vroeg Pauli. 'Ze zit wel gevangen!'

Daar waren ze alle vijf even stil van. Alaida, de elf met de sterkste elfenmagie in heel Mystica, gevangen genomen door de tovenaars.

'Wat een ramp!' zei Davino. En daar waren ze het allemaal over eens.

'Zie je nog meer?' vroeg Menno.

'Nee, dat is alles,' antwoordde Maartje. 'Maar misschien is het nog niet gebeurd en kunnen we dit nog voorkomen.'

'Dat is waar ook,' zei Davino. Hij sprong op en begon heen en weer te lopen. 'We kunnen nog iets doen!'

'Maar wat dan?' zei Elvira somber. 'Wat kunnen we doen om dit te stoppen? Want Alaida is hier niet meer. Dus de kans is groot dat ze haar al gevangen hebben genomen. Misschien vertellen de wolken wel hoe het nu is.'

Maar Davino wilde daar niets van horen. 'We kunnen vast iets doen,' zei hij vastberaden. 'Als ze onderweg is naar Leonardo, dan kunnen we haar nog waarschuwen en zorgen dat het niet gebeurt. We moeten naar Leonardo.'

‘Ook als ze wel gevangen is genomen, moeten we naar Leonardo,’ zei Menno. ‘Alaida wilde hem om hulp vragen. Als zij gevangen is, hebben we die hulp nog eens extra nodig. Als hij haar leermeester was, dan heeft hij vast ook goede elfenmagie. Waarom helpt zijn magie eigenlijk niet om het evenwicht te bewaren?’

‘Volgens de verhalen woont hij niet meer in Mystica,’ vertelde Davino. ‘Hij is vertrokken na een ruzie en heeft zich helemaal afgezonderd van het elfenrijk. Daarom is die tocht naar hem toe ook zo moeilijk. Daar heeft hij voor gezorgd.’

‘Wat voor een ruzie?’ vroeg Pauli.

‘Dat weet ik niet,’ zei Davino. ‘Ik weet alleen dat er een ruzie was.’

‘Dat moet wel een flinke ruzie zijn geweest, als je daarna niets meer met je vaderland te maken wilt hebben,’ zei Maartje. ‘Wil hij Mystica dan nu wel helpen?’

‘Dat verklaart ook het vraagteken bij zijn naam,’ zei Elvira.

‘Wat doen we nu?’ vroeg Menno.

‘Er zit niets anders op,’ zei Elvira. ‘We moeten naar de elfenkoning vliegen en hem vertellen wat er aan de hand is.’

‘Maar dan verspillen we veel te veel tijd,’ zei Davino. ‘Voordat we daar zijn en iedereen in actie komt, is het misschien te laat. Bovendien heb ik de koning al een paar keer gewaarschuwd en iedere keer kijkt hij me aan of ik gek ben. Hij heeft zoveel maatregelen tegen Sinistro genomen, dat hij gewoon niet gelooft dat er iets mis kan zijn.’

‘Maar wat doen we dan?’ vroeg Menno.

‘We moeten haar vinden,’ zei Davino. ‘Dat is onze enige hoop. Want als Alaida gevangen is, zal de goede magie steeds verder afnemen en ik hoef jullie niet te vertellen wat dat betekent.’

Geschrokken schudden de anderen hun hoofd. Alleen Pauli keek wat vragend.

'Dan nemen de tovenaars de macht over in Mystica,' legde Davino uit. Nu keek ook Pauli geschrokken.

'We moeten naar Leonardo,' zei Maartje. 'Er zit niets anders op. Maar we moeten wel een boodschap naar mijn vader en de elfenkoning sturen. Want nu komen we vast niet op tijd terug.'

'Pauli, kun jij een boodschap naar je vader brengen?' vroeg Davino.

'Ik?' riep Pauli. 'Waarom ik? Ik denk er niet aan! Jullie lekker op avontuur en ik weer naar huis zeker. Daar trap ik echt niet in hoor. Je stuurt maar een boodschap per vliegende hond. Dan rij ik wel met jullie mee.'

Davino keek bedenkelijk. Hij had er helemaal geen zin in om die vervelende Pauli op sleeptouw te nemen. Pauli zag dat Davino op het punt stond te weigeren.

'Als je nee zegt en me terug stuurt, dan vlieg ik stiekem achter jullie aan en komt er helemaal geen boodschap aan bij mijn vader.'

'Hij luistert al niet naar zijn vader,' fluisterde Menno in Davino's oor. 'Hij zal zeker ook niet naar ons luisteren.'

'Oké, we sturen jouw vliegende hond met een boodschap en gaan met z'n vijven op de andere vliegende hond,' zuchtte Davino.

'Argus!' Pauli stak triomfantelijk zijn vuist in de lucht.

'Argus?' vroeg Maartje.

'Dat zeggen jonge elfen als ze iets geweldig vinden,' legde Elvira uit.

'Maar dat is toch een middel dat ervoor zorgt dat je rare dingen ziet die er niet zijn?' vroeg Maartje verbaasd.

'Ja, daarom vinden ze het vast stoer om het te zeggen,' zei Elvira terwijl ze haar schouders ophaalde. 'Het is weer iets nieuws.'

'Dus we gaan naar Merkantarië,' zei Menno. 'Weer een land waar ik mijn aardrijkskundeleraar volledig mee in de war kan maken. Misschien moeten we eten meenemen voor de tocht. Ik pak wel wat uit de keuken.' Al gauw kwam hij terug met twee rugzakken vol voedsel.

Ook Davino liep het huis in en kwam terug met twee goed gevulde tassen.

'Hebben we dat allemaal nodig?' vroeg Pauli.

'Ik denk het wel,' antwoordde Davino. 'Zonder deze spullen, redden we het niet.'

Maartje had ondertussen een brief geschreven voor haar vader, om te vertellen wat ze gingen doen en dat Pauli met hen meeging. Pauli schreef ook een kort bericht voor zijn vader, deed de berichten in de zadeltas van zijn vliegende hond en stuurde hem terug naar het paleis.

'Zo,' zei hij tevreden. 'Nu moeten jullie me wel meenemen.' Hij klom als eerste op de overgebleven vliegende hond en leek zich geen zorgen te maken over de gevolgen van zijn acties.

'Wordt je vader niet boos, dat je zomaar met ons meegaat?' vroeg Maartje. 'Je hebt ook nog huisarrest.' Pauli haalde zijn schouders op.

'Dat zien we dan wel weer,' zei hij zorgeloos. 'Nu eerst avontuur!'

Niet lang daarna zaten ze alle vijf op de vliegende hond en vlogen ze over de bossen richting Merkantarië. Na een uur vliegen over vlaktes, bossen en heuvels, werd Pauli onrustig.

‘Hoe lang duurt het nog? En hoe ver kunnen we komen met de vliegende hond?’ vroeg hij.

‘In ieder geval tot de grens met Mystica,’ beantwoordde Davino zijn tweede vraag. ‘Daarna moeten we lopen. Vliegende honden kunnen niet goed tegen de kou en in Merkantarië is het altijd winter. Zodra het bos wit wordt, zijn we aangekomen.’

Menno keek bedenkelijk naar zijn T-shirt. ‘Ik ben niet echt gekleed voor de winter,’ merkte hij op.

‘Geen zorgen,’ zei Davino terwijl hij wees op de tassen die hij had meegenomen uit Alaida’s huisje. ‘Ik heb alle warme dingen die ik kon vinden gepakt.’

Na nog veel meer bossen en nadat Pauli voor de honderdste keer had gevraagd of ze er nog niet waren, zagen ze de eerste witte plekken op de grond.

‘Kijk daar is de grens al,’ riep Davino. ‘Nu moeten we een geschikte plek vinden om te landen en Racer te verzorgen.’

‘Al, al,’ mopperde Pauli. ‘Noem dit maar al. Ik heb nog nooit zó lang op een vliegende hond gezeten. Ik lijk wel een cactus, zo stijf en prikkelbaar ben ik.’

Toen ze waren geland en in de sneeuw stonden, voegde hij eraan toe: ‘Een bevroren cactus bedoel ik. Wat een ellende.’

‘Je kunt nu nog naar huis gaan,’ stelde Davino hoopvol voor. ‘Als Racer uitgerust is, stuur ik hem terug naar het paleis, want we kunnen hem hier niet onverzorgd achterlaten.’

Even aarzelde Pauli, maar toen schudde hij vastbesloten zijn hoofd. ‘Nee, ik ga mee.’

‘Laatste kans,’ zei Davino. Maar Pauli schudde nog een keer zijn hoofd.

‘Oké, dan laat ik hem nu gaan.’ Davino liet de vliegende hond opstijgen. Binnen een paar seconden stonden ze alleen in het koude bos. Zwijgend verdeelden ze de warme kleren die Davino had meegebracht. Al spoedig stond er een vreemd gekleed gezelschap. Menno had een gekleurde deken om zijn schouders geslagen en leek op een indiaan. Maartje en Elvira hadden allebei jurken van Alaida over hun eigen kleren heen aangetrokken en zagen eruit als oude vrouwtjes. Davino en Pauli hadden een allegaartje aan kleren aangetrokken en zagen eruit als bedelaars. Ze keken elkaar aan en gingen giechelend op pad.

Na een uur was het lachen hen wel vergaan. Zwijgend sjokten ze achter elkaar aan. Het werd steeds kouder en de dunne laag sneeuw was veranderd in een dik tapijt. Nu kwam het tot hun enkels en met elke stap leek het dieper te worden.

Door het zwoegen door de sneeuw had Maartje het warm onder al die kleren. Ze voelde zelfs een zweetdruppel langs haar rug naar beneden glijden. Maar alles wat naar buiten stak, zoals haar neus en gezicht, was koud, steenkoud. De onderkanten van de jurken van Alaida waren nat geworden en plakten tegen haar enkels. Die waren zo koud dat Maartje ze niet meer voelde. Ze keek naar de anderen. Aan hun rode neuzen en oren te zien, hadden ze net zoveel last van de kou. Het was ook wel een erg grote overgang van de warme zon in Mystica naar de bittere kou in Merkantarië.

'Het begint al donker te worden,' zei Elvira. 'Straks wordt het nog kouder. Misschien moeten we een schuilplaats zoeken en een vuur maken.'

'Is het hier niet gevaarlijk 's nachts in het bos?' vroeg Maartje.

'Ik weet het niet,' zei Davino. 'Het gevaar schuilt in de magie van de wezens in de bossen van Mystica. Die wordt sterker door maanlicht. Vandaar dat het 's nachts gevaarlijk is. Zeker als de manen vol zijn. Ik weet niet of hier ook magische wezens voorkomen. Laten we in ieder geval maar om de beurt de wacht houden en zorgen dat het vuur blijft branden. Veel dieren zijn bang voor vuur.'

'Daar is een rots,' wees Menno. 'Misschien kunnen we daar overnachten. Dan hebben we in ieder geval bescherming in onze rug.'

Ze liepen om de rots heen voor het beste plekje. Ze hadden geluk want aan de andere kant van de rots was een grote holte onder een overhangend stuk rots, waar de sneeuw niet in was gevallen.

'Het lijkt erop dat iemand hier al eerder heeft gekampeerd,' zei Menno die iets dieper de grot in was gelopen. 'Er liggen hier nog resten van een kampvuur.'

'Zou dat van Alaida zijn?' vroeg Maartje.

'Dan is ze hier wel erg lang geleden langs gekomen,' zei Menno. 'Er ligt een dikke laag stof en aarde op. Maar hiermee hebben we al bijna genoeg om een vuurtje maken. Ik ga wel even hout zoeken.'

Het hout dat ze vonden was vochtig en het vuurtje rookte erg, maar het was lekker warm. Ze hadden een heerlijke maaltijd gemaakt van de spullen die Menno had meegenomen en met een volle maag begonnen hun ogen dicht te vallen.

'Ik neem de eerste wacht wel,' zei Davino. 'Als we allemaal voor we gaan slapen nog meer hout zoeken, hebben we waarschijnlijk genoeg voor de nacht.'

Ze stapelden het gevonden hout rond het vuur, zodat het kon drogen en gingen op de harde grond rond het vuur liggen om te slapen. De volgende ochtend werd Maartje stijf wakker. Zij had de tweede wacht gehad en ze voelde zich nog niet erg uitgerust. Gelukkig brandde het vuur nog, ze hadden zelfs hout over.

'Dat moeten we maar meenemen,' zei Davino, die ook naar de stapel hout rond het vuur keek. 'Ik weet niet of we straks nog hout vinden dat van binnen nog een beetje droog is. Hoe verder we komen, hoe meer sneeuw er ligt.'

Het hout werd onderling verdeeld en ze gingen op weg. Uur na uur zwoegden ze door de sneeuw. Ondertussen zakten ze weg tot hun dijen. Om de beurt gingen ze voorop om de weg te banen en de sneeuw aan te stampen. De achterste had het beste pad, dus degene die net de weg had gebaand, mocht daarna achteraan om uit te rusten. Soms, als de bomen wat dichter bij elkaar stonden, hadden ze tot hun opluchting even een stukje waarbij de sneeuw maar tot hun knieën kwam. Maar die stukjes waren zeldzaam. Gelukkig was er weinig wind, waardoor het minder koud voelde dan gisteren, maar Maartje zag dat de elfenkinderen het moeilijk hadden. Die waren natuurlijk alleen het milde weer van Mystica gewend.

Na een dag ploeteren door de sneeuw begon het te schemeren. Dit keer was het moeilijker om een geschikte slaapplaats te vinden. Er waren geen rotsen meer, alleen eindeloos veel bomen.

'Zullen we daar slapen?' vroeg Elvira. Ze wees naar een dikke boom. 'Daar kunnen we allemaal tegenaan leunen.' Het was inderdaad het beste plekje dat ze in lange tijd waren tegen gekomen.

Pauli liep voorop en keek om naar Elvira. Daardoor zag hij niet waar hij liep en ging hij recht op een grote dennenboom af die met zijn grote besneeuwde takken op de sneeuw rustte. Het leek een grote witte wigwam.

'Pas op,' waarschuwde Maartje.

Pauli draaide zich snel om, maar verloor daardoor zijn evenwicht en viel half op de boom. Hij probeerde overeind te krabbelen, maar zijn benen zakten steeds lager en verdwenen onder de takken van de den.

'Aaaagh,' riep Pauli.

Voor ze hem konden helpen, was hij uit het zicht verdwenen.

'Plof!'

Ze hoorden een doffe klap en werden bedolven onder de sneeuw die van de takken van de den afgleed. Ze leken wel sneeuwpoppen!

'Pauli, ben je in orde?' vroeg Maartje bezorgd, terwijl ze de sneeuw van zich afschudde en tussen de nu groene takken van de den probeerde te kijken.

'Ja, pico bello!' klonk het van onder de takken. 'Ik heb een schuilplaats gevonden.'

Maartje duwde de takken opzij en stak haar hoofd ertussendoor. Ze zag wat Pauli had ontdekt. Onder de takken van de den was een diepe kuil. De takken hadden alle sneeuw tegengehouden. Pauli zat met zijn rug tegen de boom op een laag droge dennennaalden. Dit was inderdaad een heel goede slaapplaats!

Maartje trok haar hoofd weer terug en keek naar de anderen. 'Het is een prima plek,' bevestigde ze.

'Gelukkig,' zuchtte Menno. Hij was best moe en wilde graag uitrusten. 'Laat maar eens zien wat Pauli heeft gevonden.' Als een wandelende sneeuwpop liep hij naar de boom toe.

'Niet met al die sneeuw,' riep Maartje. Ze sloeg hem op zijn schouder om de sneeuw ervanaf te slaan.

'Hiiii,' gilde Menno toen de sneeuw bij zijn nek naar binnen ging en langs zijn rug naar beneden gleed. 'Sufferd, dat is koud.

Dat zet ik je betaald.' Hij greep een hand met sneeuw en begon Maartje in te zepen. Gillend rende ze weg en botste tegen Elvira die met een plof achterover in de sneeuw viel. Haar benen vlogen in de lucht en ze zat vast in de sneeuw.

'Help, ik kom niet meer overeind,' riep ze. Maar toen Davino haar kwam helpen, gooide ze snel een hand sneeuw naar hem toe. Het duurde niet lang of ze waren gillend en lachend in een sneeuwgevecht verwikkeld.

'Aaarrrgggg.'

'Wat was dat?' vroeg Maartje. 'Was dat Pauli?' Ze rende naar de boom en keek weer onder de takken.

'Hij is verdwenen!'

'Hè, hoe kan dat nu?' vroeg Menno. 'Hij kan toch niet toveren?'

Maartje kroop onder de takken door en liet zich in de kuil zakken.

'Pas op,' zei Elvira. 'Je weet niet wat er in die kuil zit.'

'Pauli, Pauli, waar ben je?' fluisterde Maartje dringend.

'Ik ben hier,' hoorde ze.

'Waar?'

'Hier.'

Maartje liep voorzichtig om de boom heen en zag een flink gat in de grond. Ze ging op haar buik liggen en keek naar binnen. Daar zat Pauli nog een beetje verward om zich heen te kijken.

'Kom, dan geef ik je een hand en kun je eruit klimmen,' zei ze.

'Ik durf niet,' zei Pauli.

'Ik zal je echt goed vasthouden,' beloofde Maartje.

'Dat is het niet,' zei Pauli. 'Ik durf niet vanwege dat ding.'

Voorzichtig keek Maartje in de richting die Pauli aanwees. Ze keek in een tunnel en een halve meter van Pauli vandaan zag ze allemaal scherpe ijzeren punten.

'Wat is dat?' vroeg ze verschrikt.

'Ik weet het niet,' zei Pauli. 'Maar het beweegt. Toen ik net keek was het nog verder van mij vandaan. Iedere keer als ik beweeg, komt het dichterbij.'

'Misschien weten Elvira of Davino wat dit is,' zei Maartje. Ze trok haar hoofd terug en vertelde aan de anderen wat er aan de hand was. Die waren ondertussen ook allemaal in de kuil geklommen.

'Nu begrijp ik Alaida's aantekeningen bij de voorspelling,' merkte Davino op. 'Ze bedoelde niet dat er geen tunnels zijn in Merkantarië, maar dat je ze beter niet kunt gebruiken.'

'Dan is dit vast een wormenval,' zei Elvira. 'Want daar had ze het ook over. Laat mij eens kijken.' Ze stak haar hoofd naar binnen. 'Wat deed je toen de val bewoog?' vroeg ze aan Pauli.

'Ik probeerde op te staan,' antwoordde Pauli.

'Beweeg je arm eens,' zei Elvira.

'Ben je gek?' vroeg Pauli. 'Dat ding is al veel te dichtbij. Straks word ik doorboord.'

'Probeer nu maar,' zei Elvira. 'Dan kan ik zien of die val alleen op bewegingen van een worm reageert of ook op andere bewegingen.' Maartje zag dat ze Pauli geruststellend toe probeerde te lachen. Maar omdat ze ondersteboven hing, zag dat er eerder angstaanjagend dan bemoedigend uit. Pauli bewoog geen vinger.

'Oké, dan doe ik het wel,' zei Elvira en ze bewoog haar arm voor de val heen en weer. Ze kon nog net haar arm wegtrekken, maar schaafde zich aan de scherpe punten.

‘Au,’ riep ze.

‘Ben je van je gave gevallen?’ riep Pauli. ‘Hoe kun je dat nu doen?’

Maartje keek weer door het gat naar beneden en zag hoe een punt van de val zich nu één centimeter van de neus van Pauli bevond.

‘Idioot,’ fluisterde Davino, die nu ook door het gat naar beneden keek. ‘Je hebt bijna de zoon van de koning gespiest! Als hij nu nog een keer beweegt, dan is hij er geweest.’

Elvira keek beschaamd en uitdagend tegelijk. ‘Dat klopt, maar nu weten we tenminste dat de val op alle bewegingen reageert.’

‘Dat weten we inderdaad,’ zei Menno. ‘Maar door jouw stunt is die val nu zo dicht bij Pauli, dat we hem niet meer uit het gat kunnen trekken voor de val er is. Hoe gaan we dit nu oplossen? Want hij kan niet lang zó stil blijven zitten.’

Daar had Menno gelijk in. Ze moesten een oplossing verzinnen. Maar wat?

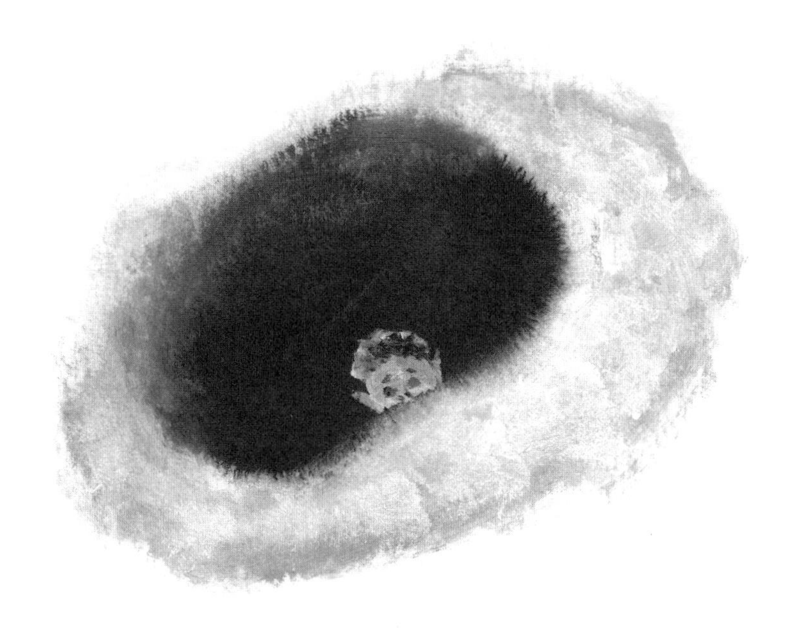

In de val

'Dat kan óók niet,' wees Menno ook Elvira's laatste voorstel af. 'Wat we ook verzinnen, óf Pauli moet zich bewegen óf wij bewegen. Hoe dan ook, de val doorboort hem.'

'Jongens, ik krijg kriebel,' klonk het uit de tunnel.

Ze keken elkaar bezorgd aan. 'Dit houdt hij niet lang meer vol,' zei Davino. 'Volgens mij heeft hij nog nooit zo lang stil gezeten.'

'Wel knap dat hij kan praten zonder te bewegen,' vond Menno.

'Konden we die val maar onklaar maken,' zuchtte Maartje.

'Of voor de gek houden,' grapte Menno.

'Wacht eens,' zei Elvira. 'Dat is zo gek nog niet.'

'Wil je de val onklaar maken?' vroeg Davino.

'Nee, ik wil hem voor de gek houden,'

'Dat was maar een grapje hoor,' zei Menno. 'Hij kan toch niet denken?'

'Nee,' zei Elvira triomfantelijk. 'Maar hij kan wel voelen.'

Ze keken haar niet begrijpend aan.

'Als er iets beweegt, dan komt de val daar naar toe, toch?' vroeg Elvira. De anderen knikten. 'Dan moeten we gewoon zorgen dat de val naar iets anders toegaat. Dan kunnen we Pauli uit het gat trekken.'

'Je wilt hem lokken met beweging?' vroeg Menno bewonderend. 'Dat is goed verzonnen.'

'Maar waar lokken we hem dan heen?' vroeg Maartje praktisch.

'Naar een ander deel van de tunnel natuurlijk,' antwoordde Elvira.

‘Ja, dat snap ik ook wel,’ zei Maartje een beetje geïrriteerd. Ze was moe en Elvira kreeg opeens wel heel veel bewondering van Menno, terwijl zij toch eigenlijk voor deze moeilijke situatie had gezorgd.

‘Ik bedoel, hoe kunnen we iets laten bewegen in een ander deel van de tunnel?’

‘Pauli,’ riep Elvira. ‘Hoe loopt de tunnel achter de val? Is ie recht?’

‘Ik kan het moeilijk zien,’ fluisterde Pauli. ‘Ik denk rechtdoor en dan met een bocht naar rechts.’

‘Dan loopt hij dus zo,’ zei Elvira, terwijl ze met een stok twee lijnen in de aarde tekende. ‘Dan moeten we zorgen dat het ongeveer hier beweegt.’ Ze begon als een dolle op en neer te springen. De grond trilde ervan, maar de val bleef op zijn plaats.

‘En als we een steen achter de val gooien?’ bedacht Menno.

‘Laten we dat maar proberen,’ zei Davino. ‘Wie kan er goed gooien?’

‘Ik zit op handbal,’ zei Maartje. ‘Zal ik het proberen?’ Ze pakte een grote steen en woog die in haar hand. ‘Staan jullie klaar om Pauli uit het gat te trekken?’

Menno en Davino lagen elk aan een andere kant van het gat, klaar om Pauli te grijpen en omhoog te trekken. Maartje gooide de steen uit alle macht langs de ijzeren punten, achter de val.

‘Het bewoog,’ riep Elvira.

‘Welnee,’ mompelde Pauli terwijl hij naar de scherpe punt vlak voor zijn neus keek.

‘De beweging moet langer duren,’ zei Menno. ‘Het moet op een worm lijken.’

Maartje verzamelde een berg stenen en gooide de ene na de andere steen achter de val. Menno had gelijk. Blijkbaar leek dit op een worm. De val kwam in beweging en schoot naar de plek waar de stenen neerkwamen. Menno en Davino grepen Pauli en sleurden hem het gat door.

'Au, au, au, au,' riep hij.

'Ben je door de val geraakt?' vroeg Elvira bezorgd.

'Nee,' zei Pauli boos. 'Die prutsers hebben me bij mijn haar gepakt.'

'Hallo!' zei Menno verontwaardigd. 'Het moest allemaal heel snel hoor. We hebben je anders wel gered.'

Davino haalde zijn schouders op. 'Typisch Pauli,' vond hij. 'Altijd iets te klagen.'

Pauli en Menno keken elkaar boos aan. Door Pauli's reactie was de blijdschap over zijn redding alweer verdwenen.

'Kom Menno, we gaan eten zoeken,' zei Elvira om hem af te leiden. Maar toen ze terugkwamen was de sfeer nog steeds kil in de kuil. Die avond heerste er een geladen stilte, totdat Maartje hem doorbrak.

'Wie zou toch die val gemaakt hebben?' vroeg ze.

'Daar zat ik ook al over te denken,' zei Elvira. 'Waarom is die val er? En zijn er nog meer? Alaida had het over vallen. Meervoud, dus er moeten er wel meer zijn.'

'Wat ik wel wil weten, is hoe Pauli in die tunnel terecht is gekomen,' zei Davino. 'Want dat willen we niet nog een keer meemaken.'

'Stampen,' mompelde Pauli zachtjes.

'Wat zeg je?' vroeg Maartje.

'STAMPEN!' schreeuwde Pauli geïrriteerd. 'Ik stampte op de grond omdat ik boos was en toen zakte ik door de aarde.'

'Waarom was je boos?' vroeg Maartje nieuwsgierig.

‘Omdat niemand naar mijn schuilplaats kwam kijken,’ zei hij zacht. ‘Niemand vindt wat ik doe belangrijk. Jullie vinden het maar lastig dat ik mee ben.’

Beschaamd keken de anderen elkaar aan. Pauli had gelijk. Ze hadden hem inderdaad als een lastpak gezien en behandeld. Terwijl hij zich tot nu toe, net als zij, zonder zeuren door de sneeuw had geworsteld.

‘Je hebt gelijk, Pauli,’ zei Maartje. ‘We zullen ermee ophouden. We hebben tenslotte allemaal hetzelfde doel en dat is Alaida vinden en haar waarschuwen.’ Ze keek Davino en Menno streng aan. ‘Toch?’ Aarzelend knikten ze.

‘Goed,’ zei Maartje. ‘Dat is dan afgesproken. We zijn samen op pad en het is duidelijk dat we elkaar nodig hebben om dit tot een goed einde te brengen. Vergeet niet dat Alaida het over valstrikken had. Wie weet wat ons nog te wachten staat.’

Daarna werd het weer stil in de kuil. Het was een andere stilte. Een vredige stilte waarin Menno nadacht over de moeilijke tocht die hen te wachten stond. Een avontuur in Mystica werd altijd heftiger dan hij van te voren dacht.

De volgende ochtend gingen ze net als de dag daarvoor weer in ganzenpas op weg. Na een paar passen bleef Elvira stilstaan.

‘Wat als we weer in een tunnel zakken?’ vroeg ze. ‘Pauli zei dat hij aan het stampen was, maar ik heb ook gestampt, vlak bij het gat, en toen gebeurde er niets. Misschien was dat gat wel zo’n valstrik waar Alaida het over had.’

‘We hebben een lange stok nodig om voor ons in de grond te prikken,’ stelde Pauli voor. ‘Dan kunnen we voelen of het pad stevig genoeg is.’

Vanaf toen ging de tocht nog langzamer. Voor ze een stap zetten, prikten ze in de grond en ze schoten niet op.

'Misschien is dit wel de valstrik,' mompelde Menno. 'Ze maken je zo bang dat je geen stap meer durft te zetten.'

'Maartje,' zei Davino. 'Kun jij niet proberen of je in de wolken iets over die valstrikken kunt zien?

'Ja, goed idee,' vond Menno. 'Dan kun je direct ook kijken of we wel de goede kant opgaan. Noord-Merkantarië lijkt me best groot.'

'Dan moet ik wel wat wolken bij elkaar roepen,' zei Maartje bedenkelijk. 'Deze wolkjes zijn niet groot genoeg. Jullie weten wat er de vorige keer gebeurde toen ik dat deed.'

'Wat gebeurde er dan?' vroeg Pauli.

'Ze maakte een regenwolk en kon er niets in zien,' zei Elvira. 'Toen werden we nat en wisten we nog niets.'

'Maar de volgende ochtend wel,' zei Menno verdedigend. 'Dus het was wel nuttig.'

'Ja,' zei Davino. 'Bovendien, we hebben echt wat informatie nodig, want als we met deze slakkensnelheid doorgaan, komen we er nooit op tijd.'

Maartje knikte en stak haar hand in de lucht. Ze wees met haar ring naar een wolk en veegde het naar een andere wolk. Ze ging door tot ze een grote wolk bij elkaar had.

'Dat is mooi,' zei Menno. Hij bekeek de lichtgrijze wollige wolk tevreden. 'Het is geen regenwolk geworden.'

Piep, piep.

'Hè, dat is alweer mijn telefoon,' riep Maartje. 'En weer een leeg berichtje. Dat ding is echt van slag.'

'Wat is dat?' vroeg Pauli belangstellend. Ook Davino en Elvira keken nieuwsgierig.

‘Dat is een telefoon,’ antwoordde Menno. ‘Daarmee kun je met iemand anders spreken of een berichtje sturen. Iedereen heeft er bij ons één. Alleen werken ze hier niet.’

‘Laat eens zien?’ vroeg Pauli.

‘Dat is interessant,’ zei Davino. ‘Dat werkt net als vroeger onze spreekbuizen, daar heb ik over gelezen. Die hadden de elfen voor de oorlog tegen de tovenaars, maar sinds de oorlog werken ze niet meer. Ik denk dat Sinistro er een spreuk tegen heeft gevonden. Misschien doet jouw telefoon het daarom hier ook wel niet.’

‘Goed, dus dat is niet zo interessant,’ vond Elvira. ‘Het is gewoon iets dat het niet doet. Kom op, Maartje. Wat zie je in de wolken? Zie je iets over onze weg of over valstrikken?’

Maartje tuurde naar de wolk. ‘Ik zie weer die kooi. Ik zie een kale vlakte en middenin staat de kooi. Alaida zit nog steeds in de kooi en ze kijkt bezorgd achterom naar haar schaduw. Die is echt kleiner geworden. Hij zit bijna in de kooi.’

‘Wat betekent dat?’ vroeg Menno.

‘Dat het erger is dan de vorige keer,’ zei Davino. ‘Ik denk dat Alaida echt in de problemen zit en dat haar situatie steeds erger wordt. Ik weet niet hoe de tovenaars het voor elkaar krijgen, maar als haar schaduw korter wordt, dan is haar magie minder sterk geworden.’

‘We vergeten dat dit nog steeds een mogelijke toekomst kan zijn,’ zei Elvira.

‘Dat klopt,’ zei Davino. ‘Maar die toekomst ziet er dan wel slechter uit dan de vorige keer. Dat betekent dat we nog niets hebben gedaan om het beter te maken.’

‘Ik zie nog iets,’ zei Maartje. ‘Er zweeft een Zwerulaar om de kooi.’

‘Dus Alaida zit niet alleen in een kooi, op een plek die we niet kennen, maar ze heeft ook nog een Zwerulaar als bewaker,’ somde Elvira de informatie op. ‘En wij zitten midden in de sneeuw tussen de wormenvallen. Hoe kunnen we dit nu oplossen?’

‘We moeten in ieder geval zo snel mogelijk naar Leonardo,’ zei Davino. ‘Misschien weet hij wat we kunnen doen.’

‘Stil eens! Hoor je dat?’ vroeg Maartje.

‘Wat? Dat geknars en gepiep?’ vroeg Menno.

‘Nee, die prachtige muziek,’ zei Maartje.

‘Ja, prachtig,’ zeiden Davino en Elvira in koor.

Menno en Pauli keken elkaar aan.

‘Hoor jij het?’ vroeg Menno.

‘Ik hoor alleen het verschrikkelijke gekrijs van een vliegende hond die enorme honger heeft,’ antwoordde Pauli.

‘Van een kat die zijn staart tussen de deur heeft gekregen,’ verzon Menno.

‘Muziek-barbaren,’ zei Maartje. ‘Dit is echt prachtig!’ Ze begon zachtjes heen en weer te bewegen.

‘Verschrikkelijk,’ zei Menno en hij stopte zijn vingers in zijn oren. Het geluid werd steeds luider en al gauw was hij om zich heen aan het kijken of hij iets beters kon vinden om in zijn oren te stoppen. Tussen de sneeuw op de takken van de bomen hingen lange slierten grijsgroen mos als grote snorren naar beneden. Menno pakte zo’n sliert en hoewel het nat en koud aanvoelde, stopte hij het opgelucht in zijn oren. Hij propte er net zo lang mos bij, tot het geluid werd gedempt. Hij stak zijn duim op naar Pauli, die vlug zijn voorbeeld volgde.

Ondertussen stonden de andere drie met een gelukzalige glimlach op hun gezicht uitgelaten te dansen. Tenminste, voor zover je kunt dansen in een dikke laag sneeuw. Om hun hoofden zweefden wezens zo groot als een hand met mooie doorzichtige vleugels. Ze zagen eruit als kleine elfjes, met één verschil. In plaats van een neus, hadden ze een slurf.

‘Daar komt dat lawaai vandaan,’ schreeuwde Menno in Pauli’s oor.

‘Die prachtige muziek bedoel je,’ antwoordde Davino. Hij hield zijn hand op en liet er een slurfmuzikant op landen. Hij bracht zijn hand zo dicht mogelijk naar zijn oor en begon nog wilder te dansen. Met zijn drieën hadden ze ondertussen een flink stuk sneeuw platgetrapt. De wormenvallen waren ze blijkbaar vergeten.

‘Oké, genoeg gedanst,’ zei Menno. ‘We moeten naar Leonardo.’

‘Ach, dat kan wel even wachten,’ zei Elvira. ‘Ik heb nog nooit zo iets moois gehoord. Hier moet je toch wel op dansen?’

‘Maartje, kom op!’ zei Menno. ‘Je hebt toch net in de wolken gezien dat we geen tijd te verliezen hebben? Alaida is in gevaar! Stop met dansen en kom mee.’

‘Kom Davino,’ zei Pauli, terwijl hij aan zijn arm trok. ‘Dit is belangrijker.’

Wild schudde Davino Pauli’s hand van zich af.

‘Laat me met rust, je verstoort de muziek.’ Hij stak zijn andere hand uit en hield nu aan twee kanten naast zijn oren een slurfmuzikant, alsof hij een koptelefoon op had.

‘Maartje.’

‘Ga weg Menno, laat me met rust!’

Menno pakte Pauli bij de arm. ‘Kom mee!’

Toen ze een stuk hadden gelopen, trok Menno het mos uit Pauli’s oor. ‘Ze zijn helemaal in de war,’ zei hij.

‘Ze zijn betoverd zul je bedoelen,’ zei Pauli. Hij keek tussen de bomen door naar Maartje, Elvira en Davino die steeds wilder aan het dansen waren. ‘Ik ben benieuwd hoe lang ze dat vol gaan houden.’

‘Niet lang denk ik,’ zei Menno. ‘Dat houd je nooit lang vol. Laten we hier maar wachten tot ze uitgedanst zijn.’

Een uur later waren Davino, Elvira en Maartje nog steeds fanatiek aan het dansen. In plaats van minder te bewegen, omdat ze moe werden, leek het erop dat ze steeds harder hun best deden. Pauli en Menno hadden ondertussen een prachtige sneeuwpop gemaakt en hadden nu heel erg genoeg van het wachten.

‘Ben je niet moe?’ vroeg Menno aan Maartje, terwijl hij even het mos uit zijn oor trok om haar antwoord te horen.

‘Ja, maar ik kan gewoon niet stoppen,’ zei ze. ‘De muziek is te aanstekelijk.’

Menno liep terug naar Pauli. ‘Ik denk niet dat ze zullen stoppen zolang de slurfmuzikanten nog spelen. We moeten ze laten stoppen.’

‘Wie?’ vroeg Pauli. ‘De muzikanten of de dansers?’

‘Maakt me niet uit,’ zei Menno. ‘Als het maar stopt. Heb jij een idee?’

Pauli staarde even voor zich uit. ‘We kunnen proberen mos in hun oren te stoppen. Dan horen ze het niet meer.’

‘Laten we dat proberen,’ zei Menno. Ze verzamelden een hele bos korstmos en liepen op de dansers af.

‘Wie zullen we eerst doen?’ vroeg Pauli.

‘Ik denk Maartje,’ antwoordde Menno. ‘Die is maar half elf, dus soms werkt een betovering minder bij haar.’ Hij keek naar Pauli. ‘Maar dit keer zal dat wel niet zo zijn, want de betovering heeft op jou geen grip. Gek is dat trouwens. Waarom zou dat zijn?’

Pauli haalde zijn schouders op. ‘Geen idee. Zullen we het dan maar proberen?’

Menno greep Maartje vast en probeerde haar stil te laten staan. Maar in plaats daarvan trok Maartje Menno op en neer en dansten ze samen een wilde dans.

‘Help me,’ riep Menno. ‘Stop dat mos erin!’

Pauli greep Maartjes schouder vast en probeerde met zijn andere hand wat mos in Maartjes oor te stoppen.

‘Aaah,’ schreeuwde hij en liet Maartje los.

‘Wat is er?’ vroeg Menno en Maartje danste uit zijn armen.

‘Ze bijten,’ zei Pauli verontwaardigd. ‘Toen ik met dat mos in de buurt van haar oor kwam, beten ze me in mijn hand en in mijn gezicht. Ze kwamen allemaal op me af.’

‘Laat mij eens proberen.’ Menno pakte wat mos en greep Maartje vast. De slurfmuzikanten hadden nu door wat ze wilden doen en voordat hij ook maar in de buurt van haar oor kon komen, zwermden ze om hem heen.

‘Au! Dat doet pijn.’

‘Zie je wel,’ zei Pauli.

‘Dit werkt niet,’ zei Menno. ‘We moeten iets anders verzinnen.’

‘Laten we zoveel lawaai maken dat ze de muziek niet meer horen,’ stelde Pauli voor.

Ze gingen vlak naast Maartje staan en schreeuwden hun kelen schor.

‘Hou maar op,’ zei Menno. ‘Dit werkt ook niet. We zorgen er alleen maar voor dat die muzikanten haast in haar oor zitten en steeds harder gaan spelen. Straks wordt ze nog doof.’

‘Wat dan?’ vroeg Pauli.

‘Ik weet het niet meer. Dit kunnen we niet alleen. Misschien moeten we Leonardo halen,’ zuchtte Menno.

‘Ik kan ook niets anders verzinnen,’ zei Pauli.

Dus gingen ze samen op weg, richting het noorden. Op zoek naar Leonardo.

Doel bereikt?

Ze hadden nog geen vijf minuten gelopen of Menno's been zakte diep weg in de sneeuw.

'Aaaau argh au,' brulde hij.

'Wat?' zei Pauli geschrokken.

'Wormenval,' kreunde Menno door opeengeklemde kaken.

Pauli begon als een dolle hond in de sneeuw te graven. Al snel had hij een kuil gemaakt en was te zien waar Menno met zijn voet door de grond was gezakt. Hij was bovenop een wormenval gestapt, recht op één van de scherpe stekels.

'De stekel is dwars door je voet gegaan,' zei Pauli. Hij keek naar Menno. 'Je ziet ook heel bleek.' Hij maakte het gat rond Menno's voet groter. 'Kun je je voet van de stekel aftrekken?' vroeg hij.

Langzaam bewoog Menno zijn voet omhoog. De val volgde zijn beweging niet.

'Ze kunnen alleen horizontaal bewegen,' zei Pauli opgelucht.

Met een ruk trok Menno zijn voet vrij en ging uitgeput achterover in de sneeuw liggen. Langzaam werd de sneeuw rond zijn voet roze.

'Je bloedt,' riep Pauli.

'Natuurlijk,' antwoordde Menno. 'Mijn voet is gespiest, wat dacht je dan?'

Maar Pauli luisterde al niet meer. 'Geneesmos, ja, dat hebben we nodig,' zei hij. Hij keek op. 'Heb jij dat bij je?'

'Dat bestaat niet in de mensenwereld,' antwoordde Menno. 'Misschien hebben Elvira of Davino het bij zich. Elvira had het de vorige keer in haar rugzak.'

Nog voordat hij was uitgesproken was Pauli al verdwenen. Menno sloot zijn ogen en probeerde niet aan de pijn in zijn voet te denken. Waar bleef die Pauli toch? Zo lang hadden ze toch niet gelopen? Ik wou dat hij opschoot! Hij hoorde de rennende voetstappen van Pauli dichterbij komen en opende zijn ogen. Pauli had Elvira's rugzak in zijn hand. Zonder te aarzelen keerde hij hem om en liet alles in de sneeuw vallen.

'Pas op,' zei Menno. 'Die fluit heeft ze van je vader gekregen. Als daar iets mee gebeurt, bijt ze je hoofd eraf.'

Pauli pakte de fluit en stopte hem met de andere spullen terug in de rugzak. Hij had het geneesmos gevonden.

'Dit gaat even pijn doen, maar anders kan ik het geneesmos niet op de wond leggen.' Menno knikte en beet zijn tanden op elkaar. Voorzichtig trok Pauli Menno's schoen uit. Hij stopte het geneesmos in Menno's nu rode sok en onmiddellijk begon de pijn af te nemen.

'Ohh, dat is beter,' zei Menno opgelucht. 'Hoe lang duurt het voordat die wond weer heel is?'

'Als je vanmiddag je voet niet belast en vannacht goed slaapt, kan het morgen over zijn,' zei Pauli.

'Goed,' zei Menno. 'Dan kunnen we morgen weer proberen om Leonardo te vinden.'

'Zullen we dan maar teruggaan naar de anderen?' vroeg Pauli. 'Dat lijkt me toch veiliger.'

Menno knikte en begon de vermoeiende tocht terug naar zijn vrienden. Die vijf minuten van de heenweg, duurden nu een half uur. Uiteindelijke hinkelde hij vermoeid naar een dikke boom en keek naar zijn drie vrienden die nog steeds aan het dansen waren. 'Denk je dat ze het nog lang vol kunnen houden?'

Pauli haalde zijn schouders op en liep naar Davino. 'Gaat het?'

‘Het is heerlijke muziek,’ hijgde Davino. ‘Maar ik ben zo moe.’

‘Ik denk niet dat dit nog lang goed gaat,’ schreeuwde Pauli tegen Menno. ‘Ze kunnen toch niet de hele dag en nacht blijven dansen?’

Hij ging naast Menno zitten met zijn rug tegen de boom. Nu ze zo dicht bij elkaar zaten, konden ze elkaar net door het mos heen horen.

‘Ik verveel me,’ zei Pauli. ‘Ik denk dat ik even op Elvira’s fluit ga spelen.’

‘Dat vindt ze nooit goed,’ zei Menno.

‘Dan moet ze me dat maar komen vertellen,’ zei Pauli. ‘Nu kan ze er toch niets tegen doen.’ Hij pakte de fluit uit Elvira’s rugzak en bekeek hem aan alle kanten.

‘Er staan allemaal dieren op,’ zei hij. ‘Mooi gemaakt. Ik had vroeger zelf ook een fluit. Die had ik van mijn moeder gekregen. Zij heeft me erop leren spelen. Maar sinds zij is overleden, ben ik die fluit ook kwijt.’

‘Is je moeder overleden?’ vroeg Menno. ‘Dat wist ik niet. Wat naar voor je.’

‘Ik wist niet eens dat ze ziek was,’ zei Pauli bedroefd. ‘Ze was altijd zo vrolijk en lief en toen, van de ene op de andere dag, was ze er niet meer. Ik weet nog steeds niet wat er precies is gebeurd.’

Menno staarde voor zich uit. Je moeder verliezen en dan niet eens afscheid kunnen nemen. Geen wonder dat Pauli soms wat vreemd deed en niet luisterde. Menno stelde zich voor hoe dat moest zijn en de tranen sprongen in zijn ogen. Vlug dacht hij aan iets anders, iets grappigs. Dat hielp ook altijd goed als hij bang was. Dat kunstje had hij van zijn moeder geleerd. Toen hij dat bedacht moest hij weer slikken. Even wist zelfs hij niet wat hij moest zeggen.

'Laat maar wat horen,' zei hij een beetje ruw om de brok in zijn keel te verbergen. Pauli ging rechtop zitten en begon te fluiten.

'Mooi,' zei Menno waarderend over de klanken die door het mos heendrongen. Hij haalde zelfs het mos uit zijn oren, want Pauli's muziek overstemde het gekrijs van de slurfmuzikanten. Voor het eerst sinds die waren begonnen met tetteren, kon Menno zich weer een beetje ontspannen.

'Blijf van mijn fluit af,' snauwde Elvira. Ze trok haar fluit uit Pauli's mond.

Direct zwermden de slurfmuzikanten weer om haar heen en stond ze weer te dansen. Dit keer met haar fluit in haar hand.

'Hè, wat gebeurde daar nu?' vroeg Menno. 'Hield ze nu op met dansen?'

'Ja,' zei Pauli verbaasd.

'Muziek stopte,' hijgde Maartje terwijl ze voorbij danste.

'Ik dacht dat ik het niet meer hoorde omdat jij harder floot,' zei Menno. 'Maar misschien waren ze gewoon opgehouden. Wat was dat voor liedje dat je op het laatst floot?'

'Een slaapliedje,' zei Pauli. 'Zouden ze er slaperig van worden?'

'Je moet dat liedje weer spelen,' zei Menno. 'Als die tetteraars slapen kunnen de anderen mos in hun oren stoppen en is de ellende voorbij.'

'Goed idee', zei Pauli. 'Ik heb alleen geen fluit meer.' Hij wees naar Elvira die haar fluit nog steeds in haar hand geklemd hield. 'Die wil ze niet geven denk ik.'

Menno hinkte naar Elvira. 'Elvira, we hebben je fluit nodig.'

Ze klemde de fluit zo hard in haar vuist dat haar knokkels er wit van werden.

'Ik weet dat Pauli normaal niet zo voorzichtig is,' zei Menno. Pauli keek beledigd, maar zei niets. Elvira danste ja-knikkend rond.

'Maar hij kan echt heel goed fluit spelen,' ging Menno verder. 'Dat heeft hij van zijn moeder geleerd. Je kunt hem echt vertrouwen. Bovendien, je wilt hier toch niet de rest van je leven blijven dansen?'

Met een plof kwam de fluit naast Pauli in de sneeuw terecht.

'Ik denk dat je nu toestemming hebt om te spelen,' zei Menno. 'Mazzel dat ze zo aan het dansen is, anders had ze je vast iets aangedaan.'

Pauli speelde zijn slaapliedje en direct lieten Maartje, Davino en Elvira zich uitgeput op de grond zakken.

'Ik ben nog nooit zo moe geweest,' kreunde Maartje. 'Wat is dansen afschuwelijk, als je niet meer op kunt houden.'

'Ik vind dansen eigenlijk altijd al afschuwelijk,' zei Menno.

'Ik ook,' zei Pauli. 'Misschien was dat onze redding.'

'Doorspelen,' zei Davino bezorgd. 'Straks begint hun muziek weer. Waar zijn de slurfmuzikanten trouwens gebleven?'

Hij keek om zich heen en zag even verderop de groep muzikanten op een boomtak vredig liggen slapen. Elvira zag ze ook en stampte boos op ze af.

'Door jullie vind ik dansen opeens een stuk minder leuk. Dat zet ik jullie betaald!'

'Wat ga je doen?' vroeg Maartje bezorgd.

'Ik ga zorgen dat ze ons niet meer lastig kunnen vallen,' zei Elvira. Uit haar rugzak haalde ze een stuk touw.

'Wie heeft hier zo'n zooitje van gemaakt?' vroeg ze dreigend.

‘Pauli,’ zei Menno. ‘We hadden haast.’

‘Haast, waarom dan wel?’

Pauli wees met de fluit richting Menno’s voet, maar ging wel door met fluiten.

‘We hadden geneesmos nodig,’ zei Menno. ‘Ik was in een wormenval getrapt.’

‘Wat? Menno, dat wist ik niet eens,’ bezorgd liep Maartje naar hem toe.

‘Het doet al bijna geen pijn meer,’ stelde Menno haar gerust. ‘Dat geneesmos is echt geweldig. Dat moeten we meenemen naar huis.’

Maartje staarde naar zijn rode sok en schudde haar hoofd. ‘Dat ziet er niet goed uit. Die sok was toch eerst wit? Hoe kun je nu naar Leonardo lopen?’

‘Eerst maar die muzikanten gevangen nemen,’ vond Elvira. ‘Voor ze nog meer kwaad aanrichten. Daarna bespreken we dat wel.’

Toen de slurfmuzikanten allemaal aan elkaar vastgebonden zaten, was het tijd voor overleg.

‘Laten we eerst maar eens zorgen dat we bij Leonardo komen,’ zei Menno. ‘Met die vallen is dat nog niet zo makkelijk.’

‘Kunnen we de weg niet aan die muzikanten vragen?’ vroeg Pauli. Maartje, Elvira en Davino sprongen op en begonnen te dansen.

‘Niet stoppen met spelen,’ zei Menno. ‘Ze kunnen nog steeds tetteren.’

Inderdaad, op de boomtak waren de slurfmuzikanten al tetterend druk aan het proberen om te ontsnappen. Pauli sprong op en liep naar de muzikanten.

‘Elvira, heb je nog meer touw?’

‘Ja, maar speel nu toch op die fluit! Waar ben je mee bezig?’ zei Elvira, terwijl ze met een boos gezicht een elegante pirouette draaide.

Pauli antwoordde niet, maar ging op zoek naar het touw in haar rugzak. Hij deed een extra touw om het groepje heen en begon allemaal ingewikkelde knopen te leggen. De muzikanten reageerden door nog indringender te tetteren. Maartje, Davino en Elvira maakten dansbewegingen waarvan ze niet wisten dat ze die konden. Maartje deed een salto, Davino stond op zijn hoofd en draaide rond en Elvira sprong op en zakte met veel gekreun in een spagaat.

Plotseling stopte het getetter. Even was het helemaal stil.

‘Wat heb je gedaan? Dit kun je niet maken! Hij heeft ons betoverd!’ riepen de slurfmuzikanten door elkaar.

‘Hé, ze kunnen ook praten,’ zei Pauli.

‘Hoe heb je dat voor elkaar gekregen?’ vroeg Menno.

‘Het is een spreukenknoop,’ zei Davino. ‘Net als hij bij mij had gemaakt. Blijkbaar werkt het ook tegen deze magie. Hoe wist je dat Pauli?’

‘Ik wist het niet, maar ik kon niets anders verzinnen,’ antwoordde Pauli. ‘Dat fluitspelen kan ik niet de hele tijd volhouden. Ik kreeg nu al kramp.’

‘Goed gedaan,’ zei Menno. ‘Nu kunnen we tenminste nadenken over hoe we bij Leonardo kunnen komen.’

‘Willen jullie naar Leonardo?’ zei een slurfmuzikant. ‘Als je die betovering weghaalt, kunnen wij je wel helpen.’

‘Ik dacht het niet,’ zei Pauli. ‘Zodra ik die losmaak, beginnen jullie weer. Daar trappen we echt niet in hoor. Bovendien weten jullie vast niet waar Leonardo woont.’

‘Jawel hoor, jawel hoor,’ riepen de slurfmuzikanten in koor. ‘En we weten ook waar de wormenvallen zijn.’

‘Wat!’ riep Elvira. ‘Hoe weten jullie dat?’

‘Van onze meester,’ zei een slurfmuzikant.

‘Sssshhhh,’ zeiden de andere slurfmuzikanten.

‘Wie is jullie meester?’ vroeg Davino.

‘Dat zeggen we niet,’ zeiden ze. ‘Dan wordt hij boos.’ De slurfmuzikanten sidderden van angst.

‘Ik vertrouw het niet,’ zei Elvira. ‘Volgens mij zeggen ze alleen maar dat ze een veilige weg naar Leonardo weten, om van de betovering af te komen. Ik stel voor om ze hier maar achter te laten en zelf de weg te vinden.’

‘Nee, nee, alsjeblieft, laat ons hier niet zo achter,’ riepen de slurfmuzikanten in paniek. ‘Dan vriezen we nog dood.’

‘Ik heb een idee,’ zei Davino. ‘Ze mogen ons de weg wijzen naar Leonardo. Als we daar veilig zijn aangekomen, maken we de betovering ongedaan. Dan moeten we wel flink wat mos in onze oren doen, want dan komt in één keer al die muziek vrij. Als ze ons bedriegen, dan laten we ze achter en blijven ze betoverd.’

‘Dan moeten ze ook beloven dat ze ons nooit meer zullen betoveren,’ stelde Maartje voor.

‘Goed idee,’ zei Davino. ‘Dat moeten jullie dan ook beloven. Want Pauli vangt jullie zo weer en de volgende keer heffen we de betovering niet nog een keer op.’ Hij keek de slurfmuzikanten dreigend aan en ook Pauli keek op zijn gevaarlijkst.

‘We beloven het, we beloven het,’ zeiden de slurfmuzikanten opgelucht.

‘Kan jij al lopen?’ vroeg Davino aan Menno.

‘Als ik op iemand kan leunen, kan ik dat wel,’ zei Menno.

‘Dan gaan we op weg,’ zei Davino. ‘Je kunt wel op mij leunen. Maartje, wil jij voorop lopen met de slurfmuzikanten? Elvira, vind je het goed als Pauli de fluit nog even vasthoudt? Dan kan hij direct gaan spelen als er iets mis gaat met de spreukenknoop.’

‘Als ik hem daarna maar direct terug krijg,’ zei Elvira met duidelijke tegenzin. Maartje begreep dat wel. Als iemand haar wolkenboek zou willen lezen, zou ze het ook moeilijk vinden. Zo’n geschenk van de elfenkoning was nu eenmaal heel bijzonder.

Tijdens het volgende uurtje lopen bleek het bos vol te liggen met vallen.

‘Rechtdoor, rechtdoor, STOP, twee stappen naar links, drie naar voren, twee naar rechts en weer rechtdoor.’ De instructies van de slurfmuzikanten klonken luid door het bos. Ze gingen langzaam vooruit, want het leek wel of er om de paar meter een val lag, maar tot nu toe was het goed gegaan.

‘Duurt het nog lang?’ vroeg Menno. Hij begon een beetje moe te worden en hinkelen door de sneeuw was nog veel vermoeiender dan lopen.

‘Niet lang meer, niet lang meer,’ kwetterden de slurfmuzikanten.

Ze hadden gelijk, na nog een flink aantal keer zigzaggen om de wormenvallen te ontwijken, werd het bos minder dicht. Het lopen ging makkelijker en langzaam verdween de sneeuw. Ze konden ook gewoon rechtdoor lopen.

‘Dat loopt veel beter,’ zei Pauli tevreden.

De zon brak door de wolken en scheen op een mistige open plek in het bos.

‘Hier is het. Nu moet je de betovering opheffen,’ riepen de slurfmuzikanten.

‘Maar hier is niets,’ zei Elvira.

'Jawel, kijk maar,' zei Davino. Hij wees naar de open plek. Langzaam verschenen een groot huis, een schuur en een waterput uit de mist. Aan de rand van de open plek stond een grote dreigende stenen toren. Om de toren hing een donkere schaduw die voortdurend leek te bewegen.

'Geen gezellige plek,' zei Elvira, terwijl ze naar de toren keek.

'Die schaduw trilt als een magische spreuk,' vond Davino. Maartje kon een rilling niet onderdrukken. Vlug keek ze een andere kant op.

'Nu moet je ons vrijlaten,' riepen de slurfmuzikanten.

Pauli knikte. 'Ik zal jullie vrijlaten. Maar eerst moeten onze dansers mos in hun oren doen.'

'Wij niet?' vroeg Menno.

'Doe maar als je wilt,' zei Pauli. 'Maar ik kan wel tegen een beetje geschetter en dat mos kriebelt.'

Toen Maartje, Davino en Elvira hun oren boordevol mos hadden gepropt, haalde Pauli de spreukenknoop los. Er klonk een enorm getetter. Het was zo hard dat Maartje en Davino, die dichtbij stonden, toch een paar danspassen maakten.

'Daar is hij,' riepen de slurfmuzikanten. 'Hij is vast boos. Wegwezen.'

Verbaasd keken de kinderen de slurfmuzikanten na, die zo snel ze konden weer richting het bos vlogen.

De Duistere Toren

'Wees welkom, jullie voelen je hier thuis,' zei een indringende stem achter hen. 'Alles is hier prima in orde, jullie zien hier niets vreemds. Niets is verdacht!'

Menno voelde zich opeens heel welkom, een heerlijke rust daalde op hem neer. Hier was alles vertrouwd, dat wist hij zeker. Hij keek Pauli met een blije glimlach aan en Pauli keek met eenzelfde glimlach terug. Ze draaiden zich om en zagen een vriendelijke oude man voor het huis staan. Hij had zijn armen naar hen uitgestrekt. In één arm had hij een staf waarmee hij naar de lucht wees. Achter de man zag de toren er *nog* dreigender uit. Daar moeten we maar niet naartoe gaan, dacht Menno.

'Net alsof we thuiskomen,' zei hij tevreden. Pauli knikte en tikte Elvira, Davino en Maartje op hun schouders. Die stonden de slurfmuzikanten nog na te kijken en hadden niet gehoord dat er een man was die hen welkom had geheten.

'Er is iemand,' zei hij

'Wat?' zei Maartje.

Pauli plukte het mos uit haar oor.

'Er is iemand,' fluisterde hij. 'Ik denk dat het Leonardo is.'

Hij haalde het mos uit de oren van Elvira en Davino en die draaiden zich ook om.

Maartje zag een boze oude man die zijn armen dreigend in de lucht hield. Was dat Leonardo? Ze hoopte maar dat hij aardiger was dan hij eruitzag.

'Dag mijnheer, bent u Leonardo?' vroeg Davino beleefd.

'Ja,' zei Leonardo.

Opgelucht keken de kinderen elkaar aan. Ze hadden Leonardo gevonden. Hun zoektocht was geslaagd!

‘Oh, wat fijn,’ zei Maartje. ‘We hebben u gevonden! Is Alaida misschien hier?’

‘Nee,’ zei Leonardo kortaf.

‘Is ze hier dan geweest? Of heeft u iets van haar gehoord?’ vroeg Elvira.

‘Nee.’

‘Wat een akelige man,’ fluisterde Maartje naar Pauli.

‘Hoezo?’ vroeg Pauli. ‘Hij is juist zo vriendelijk. Hij heeft duidelijk het beste met ons voor.’

Maartje keek hem verbaasd aan.

‘Misschien moeten we u even uitleggen waarom we hier zijn en waarom we naar Alaida vragen,’ zei Davino. ‘Mogen we misschien even binnenkomen? Menno heeft zijn voet bezeerd.’

‘Vooruit dan maar,’ de man draaide zich om en steunend op zijn staf liep hij langzaam voor hen uit het huis in.

‘Wat is hij oud,’ zei Davino. ‘Ik dacht dat hij pas 550 jaar was, maar hij loopt helemaal krom.’

‘Dit lijkt net het huisje van Alaida,’ zei Pauli toen hij binnen kwam.

Maartje keek om zich heen naar de grote hal met prachtige tapijten en schilderijen. Verderop liep een brede trap naar boven. De trap was versierd met prachtig houtsnijwerk. Het leek wel een paleis.

‘Maar Alaida’s huisje is toch juist heel eenvoudig?’ zei ze verbaasd.

‘Inderdaad,’ zei Menno. ‘Net als hier.’

Maartje zag dat Davino en Elvira ook vreemd naar Menno keken.

'Woont Menno ook in een paleis, net als Pauli?' vroeg Elvira. 'Als hij dit eenvoudig vindt, moet het bij hem thuis wel prachtig zijn.'

Maartje schudde haar hoofd.

'Sta daar niet zo te treuzelen,' gromde de man. 'Vertel wat jullie hier zoeken.'

'We zoeken Leonardo, de leermeester van Alaida,' zei Maartje die ondertussen niet meer zeker wist of dit wel de Leonardo was, waar ze naar op zoek waren.

'Je hebt hem gevonden, wat wil je?'

Dus toch! Aarzelend vertelde ze over de boodschap van Alaida, over de kooi van de tovenaars die Maartje in de wolken had gezien en dat Alaida misschien gevangen was genomen.

'Hah, dus Alaida heeft mijn hulp nodig,' mompelde Leonardo. 'Dat is een verandering.'

'Wat zegt u?' vroeg Davino verbaasd.

'Wat wil je dat ik doe?'

'Hoe bedoelt u?' vroeg Elvira.

'De vraag is toch simpel,' zuchtte Leonardo. 'Je bent hier naartoe gekomen om mijn hulp te vragen. Wat wil je dan dat ik doe?'

'Alaida's boodschap zei: "Haal Leonardo". We dachten dat u wel wist wat we moesten doen,' zei Davino.

'Ja, wel, dat weet ik dus niet,' zei Leonardo. 'Dit is de eerste keer dat ik hier iets over hoor. Ik zal er eens over nadenken. Misschien verzin ik wel iets. Of misschien bedenken jullie iets. Ik zal jullie in ieder geval je kamer wijzen, dan kun je uitrusten.'

Na die woorden voelde Maartje pas hoe moe ze was. De gedachte aan een lekker warm bed na al dat dansen was heel verleidelijk. Achter Leonardo aan liepen ze naar de logeerkamer.

‘Vinden jullie Leonardo’s gedrag ook zo raar?’ vroeg Maartje, nadat Leonardo was vertrokken.

‘Waar heb je het over?’ vroeg Menno. ‘Hij is toch juist heel vriendelijk?’

‘Het lijkt wel of hij Menno en Pauli heeft betoverd zodat ze zijn echte gedrag niet merken,’ fluisterde Maartje naar Davino en Elvira. ‘Wat denken jullie?’

‘Ik denk dat je gelijk hebt Maartje,’ zei Davino. ‘Maar ik kan nu even niet nadenken over een oplossing. Ik ben gewoon te moe.’

Ze ploften op hun bedden. Zodra hun hoofd het kussen raakte vielen ze alle vijf in een diepe droomloze slaap.

Maartje werd de volgende ochtend onrustig wakker. Ze waren nu wel bij Leonardo aangekomen, maar ze voelde zich helemaal niet welkom. Hij leek het eerder lastig te vinden dat ze er waren. Bovendien vroeg ze zich af waarom Alaida hulp had willen vragen van Leonardo. Die wist ook niet wat hij moest doen!

Ze staarde naar het plafond, dat prachtig versierd was met schilderingen van planten en dieren, en dacht na over alles wat ze tot nu toe hadden meegemaakt. Opeens bedacht ze waarmee Leonardo kon helpen. Misschien wist hij waar de tafelberg was, die ze steeds in de wolken zag. Enthousiast sprong ze uit bed en liep de monumentale trap af. In de woonkamer hoorde ze iemand praten.

‘Ik was toch te min? Mijn magie was toch niet sterk genoeg? Zij wist het toch beter? De leerling overtreft de meester. En nu zeker helpen, hah! Ik heb ze gewaarschuwd, ik zei: “Let op die Sinistro” maar luisterde er iemand? Nee! Ze hadden me niet meer nodig. Niemand die me tegenhield toen ik vertrok! En nu, nu ben ik de Meester van de Duistere Toren. Als ze nu geen rekening met me houden.........'

Plotseling keek Leonardo op.

'Wie is daar?'

Maartje bleef stokstijf stilstaan. Leonardo mocht niet weten dat ze hem had gehoord!

'Hmmphf,' hoorde ze en toen kwam Leonardo schuifelend dichterbij.

Ze keek om zich heen. Waar kon ze zich verstoppen? Vlak achter zich, onder de trap, zag ze een deur. Ze aarzelde. Het voelde niet goed om door die deur te gaan. Alsof er iets gevaarlijks achter zou zitten. Ze keek om zich heen of er nog een andere uitweg was. Ze kon nergens heen. Leonardo kwam steeds dichterbij. Die mocht haar niet vinden! Ze had geen keus. Wanhopig besloot ze de deur toch te proberen.

Ze had geluk. Zonder te kraken ging hij open. Ze glipte erdoor en de deur viel geruisloos achter haar dicht. Met ingehouden adem stond ze in het donker te luisteren. Ze hoorde Leonardo in de hal heen en weer lopen. Maar hij dacht er gelukkig niet aan om de deur naar haar verstopplek open te maken. Na een tijdje werd het stil in de hal en durfde Maartje zich weer te bewegen. Ze voelde aan de deur, op zoek naar de deurklink, zodat ze weer naar de hal terug kon gaan.

Er was geen deurklink!

Met twee handen voelde ze over de hele oppervlakte van de deur, maar de binnenkant was helemaal glad. Hoe kon ze hem nu weer open krijgen? Ze duwde tegen de deur en voelde aan de deurpost of er een geheime knop te vinden was, waarmee hij weer open zou gaan.

Helemaal niets! Zelfs geen ruwe sleutelplek zoals in de tovenaarsrots. Ze zat gevangen.

Er is vast een manier om de deur open te krijgen, maar ik kan hem niet vinden, dacht Maartje bezorgd. Ze voelde om zich heen en merkte dat de ruimte achter haar veel groter was dan ze had gedacht. Het leek erop dat het niet een kast onder de trap was, maar een gang. Ze luisterde nog even aan de deur of ze de anderen hoorde, maar het was doodstil. Er zat niets anders op. Ze moest verder de donkere gang inlopen, om naar een andere uitgang te zoeken. Angstig ging ze op weg.

Ze voelde aan twee kanten een ruwe aarden muur. Met haar hand op de linker muur vervolgde ze schuifelend haar tocht. Eerst naar beneden, na een tijdje weer naar boven, tot ze ergens tegenaan botste.

'Au!'

Wat was dat? Het leek een houten deur. Een houten deur met een deurklink! Zonder aarzelen drukte ze hem naar beneden, zo graag wilde ze uit die donkere tunnel ontsnappen. Onheilspellend piepend en krakend zwaaide de deur langzaam open.

Eindelijk kon ze zien waar ze was. Voor haar begon een brede wenteltrap van zwarte stenen. Ook de verweerde, oude muren waren van zwarte steen. Overal hingen spinnenwebben en er hing een kille nattige lucht. Ze liep de trap op, op zoek naar een uitgang. Hoger en hoger klom ze.

Dit is vast geen uitgang, dacht ze na een tijdje. Misschien kan ik beter teruggaan en hard op die deur bonzen tot iemand hem open doet. Aarzelend stond ze met haar hand op de leuning, klaar om terug te keren, toen ze haar ring voelde trekken. Het leek wel of haar vinger omhoog getrokken werd.

‘Moet ik naar boven?’lachte ze. ‘Vorige keer leidde je me naar de juiste spreuk. Leid je me nu naar de uitgang?’ vroeg ze hardop aan haar ring. Die gaf natuurlijk geen antwoord en ze voelde zich een beetje dwaas. Het was onaangenaam op die kille wenteltrap, waar geen einde aan leek te komen. Toch besloot ze op haar ring te vertrouwen en liep ze verder naar boven. Net toen ze voor de tweede keer om wilde keren, zag ze boven aan de trap een rode houten deur met een raampje erin. Door het raampje scheen licht naar binnen. Zou dat een deur naar buiten zijn?

Ook deze deur was niet op slot en zwaaide gemakkelijk open. Maartje stond even met haar ogen te knipperen in het felle daglicht. Een koude wind blies in haar gezicht. Voorzichtig stapte ze door de deur en keek om zich heen. Ze stond op de omloop van de toren! De grijze stenen van de vloer van de omloop waren glad gesleten van vele voetstappen en tussen de stenen van de muren groeide mos. Het was duidelijk een heel oude toren. Net als de kastelen in Frankrijk die ze met haar ouders had bezocht. De deur waar ze uit was gekomen zat in een opbouw die aan een rond huis met een puntdak deed denken. Tegenover de deur stond op een kanteel een verrekijker. Nieuwsgierig keek ze erdoorheen. Ze keek uit over het besneeuwde bos. ‘Wacht eens,’ zei ze hardop, ‘dat is de plek waar we stonden te dansen. De sneeuw is helemaal platgetrapt en daar loopt het zigzag pad dat we gevolgd hebben met de slurfmuzikanten. Wat raar, dan is het veel minder ver hier vandaan dan ik dacht.’

Toen bedacht ze nog iets. 'Dan heeft Leonardo ons zien dansen en heeft hij niets gedaan om ons te helpen!' mompelde ze verontwaardigd. 'Zie je wel dat hij niet te vertrouwen is.'

Ze liep verder de toren rond om te kijken of ze beneden iemand zag lopen. Na een paar stappen kwam ze bij een volgende deur en daartegenover stond een tweede verrekijker. Eens kijken wie hij hiermee in de gaten houdt, dacht ze.

'Hè, hoe kan dat nu?' riep ze stomverbaasd. Door de verrekijker zag ze het paleis van de elfenkoning in Ilia do Rada. Ze draaide aan de knop aan de zijkant van de verrekijker en kon zover inzoomen dat ze zelfs door het raam van de troonzaal kon kijken. De koning en haar vader waren druk in overleg.

'Papa!' riep ze. Maar die kon haar natuurlijk niet horen.

Ze liep naar de volgende verrekijker. Ze zag een jungle, met enorme bomen, prachtige bloemen en een groep apen die van tak tot tak slingerden.

'Oohh, prachtig! Waarom zou Leonardo hier naar kijken?'

Verderop zag ze weer een verrekijker. Ze liep ernaartoe, keek erdoor en zag een bos. Op een open plek stond een dorpje. De dorpelingen waren op een veld aan het sporten. Ze zag duidelijk twee teams en een heleboel supporters. Zou dit zijn sport tv zijn? vroeg ze zich af. Ze draaide aan de knop of ze nog iets kon ontdekken. Haar oog viel op een berg in de verte.

'Die berg is plat. Zou dat hem zijn?' Met de knop probeerde ze zo ver ze kon in te zoomen. Maar de berg was te ver weg. Ze kon niet zien of er een kooi op stond.

'Dit moeten de anderen weten,' zei ze hardop. Ze wilde net door de deur stappen om terug te gaan, toen ze verderop nog een verrekijker zag. Deze verrekijker had een zak over zich heen en zat onder de spinnenwebben. Hij was duidelijk een hele tijd niet gebruikt. Maartje kon haar nieuwsgierigheid niet bedwingen en liep naar de verrekijker. Ze haalde de zak ervan af en keek.

'Dat lijkt Parijs wel,' zei ze. Het duurde even voor ze doorhad wat dat betekende.

'Leonardo kan naar de mensenwereld kijken!'

Zonder zich te bedenken keerde ze zich om en ging door de deur, de toren weer binnen. Geen tijd te verliezen. Ze wist niet wat dit betekende, maar nu had ze twee dingen die ze dringend moest vertellen. Ze rende de wenteltrap af tot ze onderaan weer bij een deur kwam. Dat is gek, dacht ze. De deur ziet er heel anders uit. Dat niet alleen. Hij is helemaal dichtgetimmerd en waarom zitten al die sloten erop?

Op de deurklink lag een dikke laag stof. Deze deur was duidelijk al heel lang niet gebruikt. Maar hoe kon dat? Dit is toch de deur aan het einde van de gang naar Leonardo's huis? Daar ben ik toch net door gekomen? Gek dat het er van deze kant zo anders uitziet. Ik had hem toch open gelaten? Maartjes gedachten tuimelden door haar hoofd. Ze stak haar hand uit om de deur open te maken.

'Au!' Snel trok ze haar hand weer terug. Toen ze goed keek, zag ze dat er voor de deur een dikke laag magie zat. Die had haar een schok gegeven. Daar durf ik niet doorheen, dacht Maartje. Die magie zit er vast niet voor niets. Straks zit er een eng monster achter.

Ze draaide zich om en keek naar de trap. Rode traptreden? Die waren eerst toch zwart? Ik ben een verkeerde trap afgelopen! Ze rende de trap weer op tot ze hijgend op de omloop van de toren stond. Ze liep een stukje verder om de toren heen en ja hoor, daar was nog een deur. Ze deed hem open en keek naar de wenteltrap. Gele treden!

'Dat is ook niet goed,' mompelde ze. 'Wat is hier aan de hand?'

Ze liep verder. Na een trap met blauwe treden vond ze ten slotte een trap met zwarte treden.

'Eindelijk!'

Zo snel ze kon liep ze naar beneden. Nu herkende ze de deur onder aan de trap. Hij stond inderdaad nog steeds open. Zonder aarzelen schuifelde ze door de donkere gang tot die ophield en ze weer bij de gladde deur onder de trap aankwam. Ze bonsde zo hard ze kon op de deur.

'Menno, Davino, Elvira, Pauli, open de deur. Ik heb de platte berg gevonden!'

De deur ging open en ze keek in de boze ogen van Leonardo.

'Wat doe jij daar?' zei hij dreigend.

'Ik, uh, sorry, uh, ik was verdwaald,' zei Maartje geschrokken. Leonardo greep haar bij haar arm en trok haar de hal in. Gelukkig voor Maartje kwamen op dat moment de anderen de trap af lopen.

'Ha, die Maartje, waar was jij nu gebleven?' zei Pauli vrolijk.

'Ik heb de platte berg gevonden,' zei Maartje vlug.

'Wat, hoe dan?' vroeg Menno nieuwsgierig.

'Ik heb hem door een verrekijker op de toren gezien,' zei Maartje. 'Ik weet niet zeker of het de goede is, want hij is heel ver weg, maar ik denk het wel.'

'Dan weten we ook waarmee u ons kunt helpen,' zei Elvira tegen Leonardo. 'Misschien kunt u ons vertellen hoe we bij die berg kunnen komen.'

Geërgerd keek Leonardo haar aan. 'En waarom zou ik dat doen?'

'Om ons te helpen?' opperde Pauli.

Elvira stootte Davino aan. ‘Volgens mij heeft Leonardo ook een toverspreukje tegen tovenaarsmagie nodig, hij lijkt ook wel onder de invloed.’ Davino knikte en sprak zachtjes de toverspreuk uit en raakte Leonardo’s arm aan.

Er veranderde niets. Leonardo keek nog geïrriteerder en had duidelijk geen zin om mee te werken.

‘Waarom wilt u niet helpen?’ vroeg Maartje. ‘Mystica is in gevaar. U bent toch een elf?’

‘Toen ik Mystica nodig had, stond niemand voor mij klaar. Waarom zou ik dan nu helpen?’ snauwde Leonardo.

‘Ik weet niet wat er vroeger mis is gegaan,’ zei Davino, ‘maar ik hoop dat u ons toch wilt helpen. Alaida dacht dat u de enige was die Mystica kon redden.’

Leonardo keek voor zich uit en dacht lang na. ‘Er is wel iets dat jullie voor mij kunnen doen,’ zei hij zacht. ‘Als jullie dat lukt, wil ik jullie wel helpen. Maar waar heb ik het over. Dat lukt jullie nooit.’

‘Wat dan?’ vroeg Pauli.

‘We kunnen het toch proberen,’ vond Menno. Hij wilde graag iets doen voor die aardige oude man. Ook Pauli knikte enthousiast.

Leonardo haalde zijn schouders op. ‘Waarom ook niet?’ zei hij. ‘Jullie lopen het risico, ik niet. Ga gerust je gang als je het wilt proberen.’

‘Wat moeten we dan doen?’ vroeg Elvira bezorgd.

‘Jullie moeten voor mij een Zenwortel halen,’ antwoordde Leonardo.

‘Een Zenwortel?’ herhaalde Pauli. ‘Dat klinkt helemaal niet gevaarlijk.’

‘De wortel is ook niet gevaarlijk,’ vertelde Leonardo. ‘De plek waar je de wortel kunt vinden, is dat wel.’

‘Waar is dat dan?’ vroeg Davino.

‘In de jungle,’ zei Leonardo.

‘Een jungle,’ riep Maartje. ‘Die heb ik ook gezien door een verrekijker.’

Leonardo knikte. ‘Dat klopt, daar gaan jullie heen, als jullie de opdracht aanvaarden.’

Ze keken elkaar aan.

‘We hebben volgens mij geen keus,’ vatte Davino hun gedachten samen. De anderen knikten.

‘Goed, we aanvaarden uw opdracht,’ zei Menno. ‘Wat moeten we doen?’

‘Ik breng jullie naar de jungle, waar de Zenwortel zou moeten groeien en jullie brengen hem naar mij terug.’

‘Hoe ziet een Zenwortel eruit?’ vroeg Elvira.

‘Geen idee,’ antwoordde Leonardo.

‘Hoe weten we dan of we de goede wortel hebben?’ vroeg Maartje.

‘Dat weet ik niet,’ antwoordde Leonardo met een gemene lach.

‘Maar dat is een onmogelijke opdracht,’ riep Davino verontwaardigd.

‘Dat klopt,’ zei Leonardo. ‘Ik zou het maar opgeven en teruggaan naar Mystica. Dit lukt jullie nooit!’

‘We moeten het wel proberen,’ zei Pauli. ‘Of weten jullie een andere oplossing?’

Ze schudden hun hoofd.

‘Breng ons dan maar naar de jungle,’ zei Davino. ‘Is het een verre tocht?’

‘Nee hoor,’ zei Leonardo. ‘We zijn er zo.’

‘Maar hier kan toch geen jungle in de buurt zijn?’ vroeg Maartje. ‘We zitten hier midden in de sneeuw.’

Leonardo lachte geheimzinnig, maar gaf geen antwoord. Ze konden niets anders doen dan hun tassen pakken en achter hem aanlopen.

‘We gaan deze kant op,’ zei Leonardo. Hij leidde hen naar de deur onder de trap.

‘Dit leidt naar de toren,’ fluisterde Maartje. Achter elkaar liepen ze de donkere gang door en de zwarte wenteltrap op, tot ze boven op de duistere toren stonden.

‘Eens even kijken,’ mompelde Leonardo, terwijl hij door een verrekijker keek. ‘Ja, dit is hem.’ Hij liep naar een deur in de toren en liep een blauwe wenteltrap af. Na een korte aarzeling volgden de kinderen hem.

Onderaan de trap was een houten deur. Leonardo mompelde iets en deed de deur open. Ze hoorden het gekrijs van vogels en een verschrikkelijk gebrul.

‘Is dat een leeuw?’ vroeg Maartje bezorgd.

‘Er zijn geen leeuwen in de jungle,’ fluisterde Menno terug.

‘Hoe kan dit nu?’ vroeg Davino. ‘Hoe kan hier nu een jungle achter die deur zitten? Is dit een reispoort?’

‘Dat gaat je niets aan,’ snauwde Leonardo. ‘Ga je die Zenwortel nu halen of niet?’

‘Natuurlijk gaan we helpen,’ zei Menno. ‘U hebt ons zo hartelijk welkom geheten. Hij liep als eerste de deur door en stapte in een grote ruimte. Het was een enorme holle boom. Het leek wel een grot! Vlak achter hem aan, stapten de anderen door de poort. Met een klap viel de deur achter hen dicht.

‘Kom maar terug als je de wortel hebt,’ hoorden ze Leonardo’s stem door de deur. ‘Zonder wortel gaat deze deur niet meer open.’

'Zonder wortel gaat de deur niet open,' deed Elvira hem na. 'Wat is die man? Een konijn?' Ze liepen uit de holle boom naar buiten, het felle zonlicht in. Elvira's grapje veranderde niets aan het feit dat ze midden in de jungle stonden en geen idee hadden waar ze naar op zoek waren.

Menno keek zijn ogen uit naar de enorme bomen die tot de hemel leken te groeien. 'Waanzinnig,' zei hij.

Elvira stootte Pauli aan en wees naar de prachtige bloemen van een plant die op de tak van een boom leek te groeien.

'Dit gaat allemaal niet zoals ik had gehoopt,' zei Davino. 'We zijn nu niet eens meer onderweg naar Alaida, maar zitten hier met een onmogelijke opdracht.'

'Misschien wilde hij ons alleen maar uit de weg hebben,' zei Maartje.

'Nou dat is hem dan goed gelukt,' zei Elvira.

'Leonardo heeft vast het beste met ons voor,' zei Pauli met een glimlach.

'Dit begint gewoon eng te worden,' zei Elvira. 'Normaal vertrouwt Pauli niemand, maar Leonardo kan niets fout doen. Hoe lang zal dat nog zo blijven? Davino weet jij hoe lang zo'n spreuk blijft werken?'

'Hoezo?' zeiden Menno en Pauli in koor.

'Laten we het maar negeren,' zei Davino. 'Misschien gaat het over als we ver bij hem vandaan zijn. Gelukkig weten wij dat we Leonardo goed in de gaten moeten houden.'

'Goed,' zei Elvira. 'Daar staan we dan. Midden in een prachtige jungle. Hoe pakken we dit aan?'

'Dit lukt alleen als we iemand vinden die ons kan vertellen wat een Zenwortel is,' zei Davino.

'En weet waar we die kunnen vinden,' voegde Maartje toe.

‘Misschien moeten we dan dit pad volgen,’ zei Menno, die een beetje vooruit was gelopen. ‘Wie weet waar het naar toe leidt. Maar wees voorzichtig, want hoe mooi de jungle er ook uitziet, als het een beetje lijkt op die bij ons, dan zit het vol met allemaal gevaarlijke dieren.’

Op dat moment klonk er weer een luid gebrul. Het kwam van boven hun hoofd. Pauli maakte een sprong van schrik en verstopte zich achter de dichtstbijzijnde boom. Elvira keek omhoog waar het geluid vandaan kwam. Weer klonk het, dit keer dichterbij. Ze hoorden geritsel in de takken boven hun hoofd. Elvira en Davino kropen dicht bij elkaar en Maartje pakte een dikke tak van de grond om zich te verdedigen.

‘Het zijn apen,’ zei Pauli van achter de boom. ‘Ik kan ze zien.’

‘Gatsie,’ riep hij direct daarna. Hij sprong zo snel hij kon achter de boom vandaan. ‘Ze hebben op me geplast!’ Inderdaad, het zat in zijn haar en op zijn kleren en hij stonk een uur in de wind.

‘Ze willen hun territorium verdedigen,’ zei Elvira. ‘Zo laten ze zien dat dit van hen is. Laten we maar verder lopen. Dan zien ze wel dat we de boodschap hebben begrepen.’

‘De boodschap hebben begrepen?’ zei Pauli verontwaardigd. ‘Ik zal die apen eens een lesje leren!’ Hij liep op de boom af en wilde erin klimmen.

‘Je weet dat er in die boom waarschijnlijk meer dan drie soorten giftige slangen en tien soorten giftige spinnen wonen?’ vroeg Elvira op lieve toon. ‘En dan heb ik het nog niet eens over de schorpioenen….’

Pauli sprong bij de boom vandaan. ‘Uh…, die wraak neem ik nog wel een keer als ze op de grond durven te komen.’

'Elvira, maak je nu een grapje om Pauli te dollen?' vroeg Davino.

'Nee, ze heeft gelijk,' zei Menno. 'Ik denk ook dat hier heel veel giftige dieren leven.'

Elvira knikte. 'Ook als we lopen moeten we goed oppassen. De meeste dieren zijn gelukkig eerder bang voor ons, dan dat ze ons aan willen vallen. Maar als ze zich bedreigd voelen, zullen ze zich wel verdedigen. Zeker de slangen. Ze kunnen niet horen, dus we moeten flink stampen zodat ze ons voelen aankomen en op tijd weg kunnen kruipen. Raak ook niets aan zonder dat je kijkt of er misschien een beest op zit. De dieren in de jungle hebben echt een super goede camouflage.'

'Wat bedoel je daarmee?' vroeg Pauli.

'Dat ze door hun kleuren niet opvallen,' zei Elvira. 'Kijk, zoals die slang op die tak bij je schouder.' Geschrokken sprong Pauli opzij en keek naar de plek die Elvira aanwees.

'Ik zie niets,' zei hij. 'Zit je me te dollen?'

'Hij lijkt op een tak, maar ik zie hem ook,' zei Menno. Pauli keek nog eens goed en zag inderdaad een lange dunne slang die precies op een takje leek. Hij bewoog zelfs als een takje in de wind.

'Argus, dat is eng!' vond hij. 'Ik ben blij dat ze niet aanvallen.'

'Kom we gaan,' zei Davino ongeduldig. 'Als we die Zenwortel niet binnenkort vinden, heeft Alaida straks helemaal geen schaduw meer en komen we terug in een tovenaarsrijk in plaats van een elfenrijk.'

'Je hebt gelijk,' zei Maartje. 'We moeten ons niet laten afleiden.'

Ze liepen het smalle pad af, dieper de jungle in. Pauli moest achteraan, want de stank was niet te harden.

De sfeermakers

'Ik zie een stad.' Elvira kwam als eerste uit de jungle gelopen en op een grote open plek zag ze een stadje liggen. Het afgelopen uur was het pad steeds breder geworden en de bomen stonden wat verder uit elkaar. Nu begrepen ze waarom. Hier werd natuurlijk meer gelopen en de bewoners hadden bomen gekapt om huizen te bouwen. Het stadje lag aan een rivier die door de jungle stroomde.

Voorzichtig liepen ze het stadje in.

'Wat is het hier leuk,' zei Maartje. 'De bewoners zijn heel vrolijk.'

'Je hebt gelijk Maartje,' zei Elvira. 'Iedereen groet elkaar en het is hier gezellig. Wat een fijne sfeer, ik voel me hier direct thuis.' Ze liepen door naar een markt waar kooplieden hun verse waar verkochten. Het was een groot open plein tussen de kleine houten huisjes, met veel kleurige kraampjes.

'Ze zijn ook heel hulpvaardig,' zei Menno. 'Kijk maar hoe die koopman die vrouw helpt bij het uitzoeken van haar fruit. Hij zoekt mee naar de mooiste... eh, wat is het eigenlijk?'

'Geen idee, maar zij kijkt er heel blij van,' zei Davino. 'Dus het zal wel lekker zijn. Hè, wat gebeurt daar?' Geschrokken draaide hij zich om. Achter hem was de sfeer opeens heel anders. Een koopman stond te schreeuwen naar zijn klant en om hem heen vormde zich een steeds groter wordende groep klanten die boos keken en elkaar begonnen te duwen. Kinderen begonnen te schreeuwen en te huilen. Andere kooplieden gingen zich ermee bemoeien en de sfeer werd steeds dreigender.

'We moeten hier weg,' zei Maartje. 'Straks zitten we midden in een groot straatgevecht.'

Ze had het nog niet gezegd of er klonk vrolijke muziek. Blij dansend mengde een grote groep grappig geklede figuren zich tussen de ruzie makende marktbezoekers. Ze maakten grapjes, knuffelden kinderen en deelden ijsjes uit. Het duurde niet lang of de sfeer was weer net zo gezellig als daarvoor. De boze koopman en zijn krijsende klant gaven elkaar een vriendschappelijke klap op de schouder en gingen samen op zoek naar het beste fruit. Het had bij elkaar nog geen minuut geduurd en alle vijf stonden ze met verbazing en ongeloof te kijken.

'Wat gebeurde daar nu?' vroeg Pauli verward.

'Wat zijn dat voor figuren?' vroeg Elvira.

'Dat zijn de sfeermakers,' zei een vriendelijk lachende vrouw die haar vraag hoorde. 'Die zorgen ervoor dat de sfeer goed blijft in Wispelturia.'

'Hoe doen ze dat dan?' vroeg Menno nieuwsgierig.

'Dat weet ik niet precies,' antwoordde de vrouw. 'Maar ik weet wel dat het werkt. Altijd als zij komen slaat de sfeer om en voel je je weer vrolijk. Gek eigenlijk, want voordat ze komen heb je niet eens in de gaten dat je boos of geïrriteerd bent.'

Ze keek bedachtzaam. 'Daar heb ik nooit zo over nagedacht. Het is maar goed dat ze er zijn, want ik ben veel liever vrolijk. Maar ze zullen jullie zo wel op komen halen en dan kun je het ze zelf vragen.'

'Waarom komen ze ons dan ophalen?' vroeg Maartje.

'Dat doen ze bij iedere bezoeker,' zei de vrouw. 'Om te proeven welke sfeer jullie meebrengen.' Ze keek naar Pauli. 'Jij moet vast in quarantaine,' zei ze. 'Die stank verpest de sfeer.'

'Quarantaine?' vroeg Menno. 'Dan word je toch apart gehouden omdat je een besmettelijke ziekte hebt?'

'Een besmettelijke sfeer zul je bedoelen,' zei de vrouw. Ze zwaaide nog een keer en liep weer door.

'Dat klinkt niet best, dat ophalen en die quarantaine,' zei Pauli. 'Daar heb ik helemaal geen zin in. Wat als ze ons niet meer laten gaan omdat onze sfeer niet lekker is? Allemaal weer vertraging. Ik vind het maar niets.'

'Ik denk dat we er geen keuze in hebben,' zei Davino. 'Ze staan namelijk al achter je.'

Pauli draaide zich om, en ja hoor, daar stonden drie sfeermakers.

'Die kunnen we hebben,' fluisterde Pauli.

'Ben je gek?' fluisterde Maartje terug. 'Wat wil je daar nu mee bereiken? Laten we gewoon meegaan. Ze lijken erg aardig.'

Maar Pauli luisterde al niet meer. Hij sprong op de vriendelijk glimlachende sfeermakers af en gaf de voorste een harde duw. Dat had de sfeermaker niet verwacht en hij liet zich dan ook makkelijk wegduwen. Met een plof kwam hij op zijn billen terecht. Hij keek verdwaasd om zich heen, alsof hij niet begreep wat er was gebeurd. Zijn vriendelijke glimlach stond zelfs nog op zijn gezicht. Door zijn val duwde hij tegen de tweede sfeermaker. Die struikelde achterover en maaide wild met zijn armen om overeind te blijven. Zijn rondzwaaiende armen raakten een vrouw die net een glas sap had gekocht bij een sapkraampje. Ze struikelde voorover en het sap spatte in het rond. Op de sfeermakers, de verkoper en wat klanten. Al snel was niemand meer aan het glimlachen. De vrouw van het sap stond boos te schreeuwen naar de sfeermaker die nog steeds op de grond zat.

'Help me dan even,' zei hij geïrriteerd tegen zijn collega's.

'Je hoeft niet zo te snauwen hoor,' zei een grote sfeermaker terwijl hij hem ruw overeind trok.

'We moeten weg,' riep Pauli.

'Oh nee, dat denk je maar,' bromde de derde sfeermaker en hij greep Pauli in zijn kraag. 'Allemaal meekomen.'

Verbouwereerd keek Maartje om zich heen. De ruzie verspreidde zich als een lopend vuurtje. Ze zag wel twintig mensen boos kijken, schreeuwen en aan elkaar trekken. Het leek wel of ze elkaar aanstaken. Wat een opvliegend volkje!

'Laten we maar doen wat hij zegt,' zei Davino. 'We willen niet nog meer problemen veroorzaken. Dit loopt helemaal uit de hand.'

De boze sfeermaker sleurde Pauli aan zijn kraag achter zich aan door de straten van Wispelturia. Zijn collega's bleven ruziënd achter. De andere kinderen liepen snel achter de sfeermaker aan. Die liep met grote woedende stappen naar een enorm, geel gebouw. Bij het gebouw stopte de sfeermaker zo plotseling, dat Maartje bijna tegen hem opliep. Ze deed een stap achteruit en bekeek het gebouw. Het viel op omdat het hoog boven de omringende houten huisjes uitstak. Het zag er zonnig en gezellig uit, met prachtige ramen van gekleurd glas. De sfeermaker had geen oog voor de schoonheid van het gebouw en duwde hen ruw door de voordeur naar binnen. Onmiddellijk ging er een oorverdovend alarm af. De deur viel achter hen in het slot.

'Verdorie, quarantaine,' zei de sfeermaker nijdig. 'Dan komen ze zo wel weer vrolijk doen. Bah.'

Het lawaai hield op en aan het einde van de hal ging een deur open. Er kwam een groep vrolijke sfeermakers naar binnen die hun collega weer makkelijk aan het lachen kregen. Ook Maartje moest lachen om hun grappige bewegingen en gekke gezichten. Toen ze allemaal weer lachten, mochten ze de hal verlaten.

'Maar jij gaat eerst via de douche,' zei de vrolijke sfeermaker die hen begeleidde tegen Pauli. 'Anders maak je de sfeerinspecteur chagrijnig en dan hebben we de poppen aan het dansen.'

Toen Pauli weer lekker rook werden ze opgehaald.

'Kom, jullie mogen mee naar de sfeerinspecteur,' zei de aanvoerder van de sfeermakers met een vriendelijke glimlach. 'Hij zal wel weten wat hij met jullie aan moet.'

'Hier zijn ze, baas,' zei hij even later tegen een man met een volle grijze baard, terwijl hij het vijftal naar voren schoof.

'Marktdag is altijd een moeilijke dag,' zuchtte de sfeerinspecteur. 'Mensen zijn bang teveel te betalen en kinderen moeten mee, terwijl ze liever willen spelen. Dan heb je altijd een paar omslagpunten. Maar dit slaat werkelijk alles.' Hij keek Pauli droevig aan. 'Een aanval op de sfeermakers, dat is nog nooit vertoond. Geen wonder dat alles nu uit de hand loopt. Nog even en we hebben te maken met een permanent keerpunt.' Bezorgd streek hij over zijn baard en hij staarde in de verte.

'Dolly, hoeveel bataljons sfeermakers hebben we nog over?' vroeg hij aan een knappe sfeermaakster.

'Nog zeven baas.'

‘En hoeveel plekken met een slechte sfeer?’

‘Op de markt alleen al zijn er vier die steeds groter worden,’ vertelde Dolly. ‘Het duurt niet lang of de hele markt is omgeslagen naar een negatieve sfeer.’

‘Dat zijn dan zeker honderd Wispelturianen,’ mompelde de inspecteur zachtjes in zijn baard. ‘Hoe krijgen we dat weer goed? Dolly, stuur er maar vier sfeerbataljons op af.’

‘Vier? Baas, weet u het zeker? Zoveel sfeermakers hebben we nog nooit op pad gestuurd,’ zei Dolly verschrikt. ‘Dan hebben we bijna geen sfeermakers meer over!’

‘Er zit niets anders op, het is ons laatste redmiddel. Als zij de sfeer niet kunnen laten omslaan, dan hebben we een keerpunt en is de sfeer voorgoed negatief. Daar is dan geen stoppen meer aan.’ Hij plukte steeds zenuwachtiger aan zijn baard.

Op de tv-schermen in de commandokamer konden ze de markt zien. Het werd er steeds onrustiger. Op diverse plekken waren mensen aan het vechten. Kinderen liepen huilend rond en bij de groentekramen werden de eerste tomaten gegooid.

‘Kijk, daar komen de sfeermakers,’ wees Elvira. Inderdaad, aan de rand van de markt verscheen een bataljon sfeermakers. Je kon zien dat de sfeer in hun buurt verbeterde. Ook aan de andere zijden van de markt deden sfeermakers hun werk. Ze maakten grappen, troostten kinderen en buitelden in het rond. Kinderen staarden vol bewondering naar de knappe salto’s en droogden hun tranen. Een aantal vechtersbazen stopte met vechten om te luisteren naar een grap.

‘Het lukt,’ fluisterde Dolly gespannen.

‘Het lukt niet,’ zei de inspecteur zacht. Hij had gelijk. Overal waar de sfeermakers net waren vertrokken, werd er weer geduwd en geschreeuwd. Om de sfeermakers heen werd de sfeer steeds grimmiger. Op de beelden kon je duidelijk zien dat de sfeermakers zelf ook onder de invloed van de negatieve stemming kwamen. Ook zij stonden ruzie te maken.

'Wat nu?' vroeg Dolly bezorgd. 'De bataljons terugtrekken?'

Maar de sfeerinspecteur schudde zijn hoofd. 'Dat helpt niet meer.' Met een zucht liet hij zich in zijn stoel vallen.

'Wat zijn ze toch aan het doen?' vroeg Pauli. 'Waar hebben ze het over?'

'Moet je dat nu nog vragen?' zei Elvira kattig. 'Hoe dom kun je zijn?'

'Wat!' riep Pauli boos. 'Noem jij mij dom? Hoe durf je? Alsof jij zo slim bent? Wie stond er zo dwaas op de muziek van de slurfmuzikanten te dansen? Ik niet hoor!'

Pauli was zo boos dat hij op het punt stond Elvira een dreun te verkopen.

'Pauli, ophouden,' beet Davino hem toe. 'Je gaat toch niet weer zo'n domme stunt uithalen?'

'Waar heb je het over?' vroeg Pauli. 'Waarom zijn jullie me zo aan het vervelen?'

'Heb je dat niet door?' vroeg Menno geïrriteerd. 'Je hebt hier in je eentje een nationale ramp veroorzaakt met die beroerde actie van je. Als jij die sfeermaker niet had geduwd, was er niets aan de hand geweest.'

Pauli keek Menno even boos aan, maar staarde daarna beschaamd naar zijn schoenen. 'Sorry,' zei hij. 'Je hebt gelijk. Ik doe altijd maar wat er als eerste in mijn hoofd opkomt. Mijn vader wordt daar ook zo boos van. Maar ik vergeet steeds dat ik tot tien moet tellen.' Hij stond zo beteuterd te kijken en had zo duidelijk spijt, dat Menno medelijden kreeg.

'Ach, dat zegt mijn moeder ook altijd,' zei hij. 'En dan kijkt ze er altijd zo bij.' Hij trok een heel gek gezicht.

'Mijn vader kijkt altijd zo,' zei Maartje. Ze trok haar ogen naar beneden en stak haar tong uit. Het zag er niet uit. Pauli lachte.

'Mijn vader kijkt dan zo.' Iedereen schoot in de lach, want het gezicht van Pauli leek wel van rubber. Het bewoog alle kanten op.

'Dat is knap,' zei Elvira bewonderend.

'Dat is ongelooflijk,' zei de sfeerinspecteur.

'Hoe doen jullie dat?' vroeg Dolly.

'Wat, een gek gezicht trekken?' vroeg Maartje.

'Nee,' zei de sfeerinspecteur, 'de sfeer laten omslaan van boos naar vrolijk, terwijl je zelf boos bent.'

'Zo gaat het toch altijd?' vroeg Davino.

'Bij ons niet,' zei de inspecteur. 'Bij ons niet.' Abrupt stond hij op en liep de kamer uit.

'Wat was dat nu?' vroeg Menno.

'Hij gaat altijd even naar buiten als hij een idee heeft,' zei Dolly. 'Ik denk dat hij daar beter kan nadenken. Hij zal zo wel terugkomen.'

Inderdaad, daar kwam de sfeerinspecteur alweer binnen. Zijn bruine ogen straalden enthousiast en zijn hand streek verwoed over zijn baard. 'Ik denk dat ik weet hoe we dit op kunnen lossen. Jullie zijn namelijk immuun!' Triomfantelijk keek hij om zich heen. Ze keken hem allemaal verbaasd aan. Zelfs Dolly leek niet te begrijpen waar hij het over had.

'Hoe bedoelt u, immuun?' vroeg Davino.

'Wat is dat eigenlijk, immuun?' wilde Pauli weten.

'Dat jullie er tegen kunnen natuurlijk,' antwoordde de sfeerinspecteur. 'Jullie kunnen er tegen als iemand boos of geïrriteerd tegen je doet.'

‘Wij worden dan ook geïrriteerd hoor,’ zei Maartje.

‘Dat klopt,’ zei Dolly. ‘Dat heb ik net gezien.’

‘En wat heb je daarna gezien?’ vroeg de sfeerinspecteur.

Dolly dacht even na. ‘Dat ze weer vrolijk werden.’

‘Inderdaad,’ zei de inspecteur. ‘Weer vrolijk zonder sfeermakers. Ieder van hen kan zelf besluiten om de sfeer weer goed te maken. Dat betekent dat ze zonder gevaar naar de markt kunnen. Zij kunnen de sfeer weer laten omslaan!’ Hij keek triomfantelijk om zich heen.

‘Waarom kunnen de sfeermakers dat dan niet?’ vroeg Davino.

‘Op dit moment zijn er zo veel mensen boos en geïrriteerd, daar kunnen de sfeermakers niet tegenop,’ legde de inspecteur uit. ‘Na een tijdje worden ze dan zelf geïrriteerd en dan ben ik weer een bataljon kwijt. De drie bataljons die ik nu nog over heb, heb ik nodig om de sfeermakers die nu zijn omgeslagen, weer vrolijk te maken. Ik kan ze dus niet inzetten. Daarom heb ik jullie nodig. Willen jullie ons helpen?’

Ze keken elkaar aan.

‘Dit kunnen we niet weigeren,’ fluisterde Maartje. ‘Zonder ons hadden ze dit probleem nooit gehad.’

‘Sorry, sorry,’ mompelde Pauli. ‘Dit gaat veel tijd kosten die we niet hebben. Door mij valt Mystica straks in de handen van de tovenaars. Ik zal voortaan altijd tot tien tellen.’

‘Dat tot tien tellen is een goed idee,’ zei Davino. ‘Maar het is niet jouw schuld dat de tovenaars Alaida gevangen hebben genomen en dat Leonardo ons niet wilde helpen. We gaan dit gewoon zo snel mogelijk doen en dan gaan we op zoek naar Leonardo’s Zenwortel.’

‘Ohhh,’ zei Dolly terwijl ze met grote ogen naar Davino keek. Ze wilde iets tegen de inspecteur zeggen, maar die luisterde niet. Hij staarde naar Davino.

‘Begrijp ik dat jullie ons gaan helpen?’

‘Ja,’ zei Elvira. ‘Zeg maar wat u wilt dat we doen.’

‘We beginnen met mijn bataljons,’ zei de inspecteur. ‘Als we alle sfeermakers die negatief zijn geworden één voor één in contact brengen met hun positieve collega’s dan slaat hun sfeer weer om en zijn we binnenkort op volle kracht.’ Hij keek de jongens aan. ‘Willen jullie de sfeermakers opzoeken en hier naar toe brengen? Het is wel wat gevaarlijk, want ze willen misschien vechten. Maar dan moet je ze maar dwingen.’ De jongens knikten en hij keek naar de meisjes. ‘Willen jullie ondertussen aan de rand van de markt de mensen die naar huis gaan weer vrolijk maken?’

‘Maar hoe doen we dat?’ vroeg Elvira.

‘Begin maar met de kinderen. Die zijn heel bepalend voor de sfeer. Een huilend en jengelend kind heeft in een mum van tijd veel volwassenen in een slecht humeur, terwijl een lachend kind juist vertedert. Maak je maar geen zorgen, ze zullen je vast helpen,’ zei Dolly. ‘En kinderen houden altijd van een leuk verhaal of een grap.’

‘Wat doen we als het niet lukt?’ vroeg Davino.

‘Dan verzamelen we weer allemaal hier,’ besloot de inspecteur.

‘Laten we maar op pad gaan’, zei Menno. Op het scherm zag hij dat er steeds meer mensen op het marktplein ruzie hadden. ‘Hoe langer we wachten, hoe moeilijker het wordt.’

Hij vertrok met Pauli en Davino naar de markt, terwijl Elvira en Maartje ieder een straat uitzochten, waarlangs veel Wispelturianen weer naar huis zouden gaan.

Maartje ging op een grote steen zitten, vlak bij de markt. Elvira was naar de andere kant van het marktplein gelopen. Het leek slim om aan twee kanten te werken. En nu maar wachten op de eerste negatieve voorbijganger, dacht Maartje. Zenuwachtig wiebelde ze heen en weer. Wat als het een grote man was, die ruzie wilde maken?

Gelukkig had ze zich voor niets zorgen zitten maken. De eerste voorbijganger was een huilend meisje.

'Ach, jij bent verdrietig,' zei Maartje. 'Wat is er gebeurd?'

'Mijn moeder is boos op mijn broertje en ze zijn heel hard naar elkaar aan het schreeuwen,' snikte het meisje.

'Dat is naar,' zei Maartje. 'Maar ruzies gaan ook weer voorbij. Zal ik je een verhaaltje vertellen terwijl we daar op wachten?'

Het meisje knikte en ging verwachtingsvol voor Maartje op de grond zitten. Maartje vertelde over de avonturen die ze tot nu toe had beleefd in Mystica en al snel zat er een hele groep kinderen om haar heen. Na de kinderen kwamen de ouders die ook geboeid naar het verhaal stonden te luisteren. Ze vertelde over de tovenaars, over Alaida en over de opdracht die ze van Leonardo hadden gekregen. Ze ging zo op in haar verhaal, dat ze niet doorhad dat Davino, Elvira, Pauli en Menno ondertussen ook stonden te luisteren. Ze eindigde haar verhaal met hun komst naar de stad van de sfeermakers.

'Ik hoop dat we onze fout weer goed kunnen maken en de sfeer weer kunnen herstellen,' zei ze.

'En dat we de Zenwortel vinden zodat we Alaida kunnen bevrijden,' voegde Menno toe.

Maartje keek glimlachend op en zag de anderen. 'Ja, dat ook.'

'Je eerste wens is al uitgekomen,' lachte de sfeerinspecteur die ook geïnteresseerd naar het verhaal had staan luisteren. 'Iedereen is weer vrolijk en mijn sfeerbataljons zijn weer op volle sterkte. Wat Menno's wens betreft, volgens mij kunnen we daar ook wel iets aan doen. Dolly, heb jij het gevonden?'

'Ja, het groeide precies waar mijn oma zei,' bevestigde Dolly.

'Dolly's oma is onze dokter,' zei de inspecteur. 'Zij kent alle medicijnen uit de jungle. Toen Dolly hoorde dat jullie de Zenwortel zochten, is ze direct naar haar toe gegaan.'

'Medicijn?' vroeg Maartje. 'Waar is het dan voor?'

'Weten jullie dat niet?' vroeg Dolly. 'Het is een medicijn tegen een zeldzame ziekte waarbij al je spieren en botten steeds meer pijn gaan doen. Het duurt heel lang, maar op het laatst ga je er krom van lopen en de volgende fase is een pijnlijke dood. Mijn oma was ook al erg bezorgd dat iemand die nare ziekte had.'

'Leonardo liep krom,' zei Pauli.

'Geen wonder dat hij zo vervelend deed,' zei Maartje. 'Hij had pijn.'

'En misschien wist hij dat de laatste fase eraan zat te komen,' zei Davino.

'Ik denk dat het iets anders was,' zei Dolly. 'Een bijverschijnsel van de ziekte is, dat je denkt dat iedereen tegen je is. Je wordt argwanend en wantrouwt iedereen. Dat is één van de eerste dingen waar je aan kunt zien dat iemand ziek is. Het begint vóór de pijn en wordt steeds erger. Mijn oma heeft me daar dit Wraakkruid voor gegeven. Als hij daar een week lang thee van drinkt, gaat het wantrouwen weg. Het groeit op deze tak en ik heb het op de tak laten zitten, zodat het vers blijft en je er zeker genoeg van hebt. De uitdaging is om het hem in te laten nemen. Zelfs als mensen weten dat ze ziek zijn, geloven ze niet dat ze deze bijverschijnselen hebben.'

Menno keek naar de blije Wispelturianen om hem heen en naar de Zenwortel in Dolly's hand. Niet te geloven, ze hadden hun opdracht vervuld! Nu zou Leonardo hen vast helpen. Tevreden lachend stelde hij voor om terug te gaan naar Leonardo.

'Bedankt voor alle hulp,' zei Maartje.

'En nogmaals sorry voor het keerpunt,' zei Pauli.

'Graag gedaan en geen probleem,' zei de sfeerinspecteur vrolijk. Ik ben blij dat we allemaal weer vrolijk zijn. Bovendien weet ik nu dat het mogelijk is om een keerpunt weer terug te draaien. Alleen hebben we dan jullie hulp weer nodig.'

'Als de Wispelturianen onze hulp nodig hebben, zullen we zeker komen helpen,' beloofde Pauli plechtig. De anderen knikten.

'Ik loop wel even met jullie mee,' zei Dolly. 'Mijn oma heeft me een korte route verteld en volgens mij is het belangrijk dat jullie snel terug zijn. Als die Leonardo al krom loopt, heeft hij het medicijn nu nodig.'

Dolly's route was inderdaad heel anders. Ze liepen achter haar aan naar een grote woudreus. Een enorme boom die zijn takken wel vijftig meter de lucht in strekte. Om de woudreus zat een andere boom gewikkeld. Het was een wurgvijg die nu dienst deed als wenteltrap.

'Gaan we naar boven?' vroeg Davino.

'Ja,' zei Dolly. 'Dat is echt de snelste weg.'

Achter Dolly aan, beklommen ze de wurgvijg, terwijl ze zich steeds steviger vasthielden aan een liaan die als een leuning om de boom gewikkeld zat.

'Goed dat we geoefend hebben met boompje klimmen in de kastanje bij jouw opa,' zei Menno. Maartje knikte, maar hield zich heel stevig vast, want het was best hoog. Niet naar beneden kijken, niet naar beneden kijken, dacht ze.

Na tien minuten klimmen, kwamen ze op een platform aan. Tot hun grote verbazing bleken er hoog tussen de bomen hangbruggen te hangen.

'Die heeft mijn opa gemaakt voor mijn oma. Zo kan ze makkelijker bij de medicijnplanten die in de boomtoppen groeien.'

Menno keek zijn ogen uit. Het leek wel of ze in een andere wereld terecht waren gekomen. Hier groeiden allemaal andere planten en bloemen en ook de vogels en dieren waren heel anders dan op de grond. Af en toe moesten ze met een liaan van hangbrug naar hangbrug zwaaien. Dit is pas avontuur, dacht hij tevreden.

'Het is inderdaad veel sneller,' zei hij hardop na een half uurtje door de boomtoppen lopen en slingeren. 'Kijk, daar heb je die holle boom waar de deur in zit. Ik herken hem zelfs van bovenaf aan de rode bladeren. Daar heb je ook die brulapen. Wil je ze nog te pakken nemen, Pauli?'

Pauli keek naar de enorme groep brulapen die hen vanuit een boom dreigend aanstaarde.

'Hmm, daar hebben we nu echt geen tijd voor,' zei hij, terwijl hij vlot achter Dolly en de anderen aan, langs een liaan naar beneden klom.

'Dan neem ik nu afscheid,' zei Dolly toen ze weer veilig op de grond stonden. 'Ik hoop dat Leonardo beter wordt en dat jullie Alaida kunnen bevrijden.' Met een laatste zwaai verdween ze weer de jungle in.

Verraad

‘Leonardo, we zijn terug,’ riep Pauli zo hard hij kon, terwijl hij luid op de deur bonsde.

‘Dat hoort hij nooit,’ zei Elvira pessimistisch. ‘Die deur is in de toren en hij zit natuurlijk in zijn huis. Wat dom dat we hem niet hebben gevraagd hoe we hem konden bereiken.’

‘Misschien moeten we aan de bel trekken,’ zei Menno droog. Hij wees op een dik koord dat naast de deur hing. Hij trok er aan en achter de deur hoorden ze een gong. Na lang wachten, klonk Leonardo’s stem door de deur.

‘Ik zei toch dat het moeilijk was? Kom hier nu maar niet zeuren, want je komt er niet in tot je de Zenwortel hebt.’

‘Maar we hebben de Zenwortel al,’ zei Davino triomfantelijk.

‘Wat?’ Langzaam ging de deur op een kiertje open. Pauli zwaaide enthousiast met de Zenwortel. Menno liep naar voren met het Wraakkruid en stak de tak door de deur naar binnen om het aan Leonardo te laten zien.

‘Kijk Leonardo,’ zei hij. ‘Dit kruid moet je samen met de Zenwortel nemen. Dan werkt het nog beter.’

‘Laat die Zenwortel eens zien,’ gromde Leonardo. ‘Dat kan nooit de juiste wortel zijn.’

Pauli liep naar de deur en stak de wortel naar voren, zodat Leonardo hem kon zien. Die pakte de wortel vast en trok er hard aan.

‘Hé!’ riep Pauli. ‘Wat doe je nu?’ Van verbazing liet hij hem bijna los.

Davino sprong naar voren en greep de wortel stevig vast.

‘Ik dacht al dat je zo iets zou proberen. Dat gaat mooi niet door,’ zei hij vastbesloten.

Maartje zag hoe Leonardo zijn hand ophief en iets mompelde. Toen vloog Davino, zonder wortel, door de lucht. De deur sloeg met een klap weer dicht.

'Bedankt voor de wortel, stelletje sukkels!' riep Leonardo door de dichte deur. 'Jullie dachten toch niet dat ik Alaida ging helpen hè? Boontje komt om zijn loontje, ook al duurt het soms eeuwen.'

'Maar u had het beloofd,' zei Menno, die verbouwereerd naar de tak in zijn hand staarde. De deur was op de tak dichtgeslagen en het gedeelte van de tak waar het Wraakkruid op groeide, zat nu aan de andere kant van de deur.

'Neem ook het Wraakkruid,' riep Davino. 'Dat hoort bij de genezing.'

'Wraakkruid? Je denkt zeker dat ik gek ben,' zei Leonardo. 'Alleen de naam al. Daar trap ik natuurlijk niet in.'

Ze hoorden hem de trap op lopen. Pauli trok als een dolle aan het koord van de bel. De gong maakte een oorverdovend lawaai, maar Leonardo kwam niet terug.

'Hou daar alsjeblieft mee op,' snauwde Elvira. 'Ik word gek van dat geluid en Leonardo komt echt niet terug, hoor. Menno, je kunt die tak nu wel loslaten. Daar hebben we niets meer aan.'

Menno liet de tak los en ging bij de anderen zitten. Langzaam begrepen ze dat Leonardo niet alleen weigerde hen te helpen, hij had ze ook nog eens opgesloten in het land van de Wispelturianen, midden in de jungle.

'Wat heeft Alaida hem toch aangedaan?' vroeg Pauli.

'Je bedoelt, wat denkt Leonardo toch dat Alaida hem heeft aangedaan,' verbeterde Maartje hem. 'Het komt door zijn ziekte, weet je nog.'

'Ziekte of niet, het is gevaarlijk,' zei Elvira. 'Voor hetzelfde geld werkt hij samen met de tovenaars om wraak te nemen op Mystica.'

'Dat denk ik niet,' zei Maartje. 'Toen ik de eerste keer op de uitkijktoren was, zag ik Parijs door een verrekijker.'

'Parijs?' vroeg Elvira. 'Wat is dat?'

'Dat ligt in Frankrijk,' zei Menno. 'Bij ons in de mensenwereld. Zag je de Eiffeltoren?'

Maartje knikte. 'Toen ik jullie wilde vertellen wat ik gevonden had, liep ik de verkeerde deur door. De trap had een andere kleur en onderaan de trap was een deur die helemaal afgesloten was met gewone sloten en met magie. Ik denk dat het een toegangspoort naar de mensenwereld is.'

'Waarom vertel je dat nu pas?' vroeg Davino.

'Er gebeurde opeens zoveel, dat ik het was vergeten,' zei Maartje. 'Ik vond het toen ook veel belangrijker om te vertellen dat ik de platte berg had gezien. Ik begrijp nu dat het een toegangspoort is, omdat we door zo'n zelfde deur naar Wispelturia konden reizen.'

'Als Leonardo inderdaad een toegangspoort naar de mensenwereld heeft, dan weet hij nu dat de tovenaars tegen Alaida strijden,' zei Davino geschrokken. 'Straks geeft hij ze nog toegang, vernietigen ze Alaida en veroveren ze Mystica. We hebben hem gewoon verteld hoe hij wraak kan nemen. Nu is het nog belangrijker om Alaida te bevrijden en het evenwicht te herstellen.'

'Ja,' zei Pauli, 'en wij zitten hier, in de jungle, voor een dichte deur.' Woedend liep hij naar de deur en stopte al zijn woede en frustratie in een enorme karatetrap. De deur trilde en Menno's tak viel op de grond.

‘Hé, prutser,’ riep Menno, ‘die wilde ik net gaan gebruiken als hefboom om de deur open te wrikken.’

‘Prutser?’ siste Pauli woedend. ‘Tegen wie denk jij wel niet dat je het hebt?’ Hij staarde Menno aan en de woede straalde van zijn lichaam. Menno kreeg een heel benauwd gevoel en kon zich niet meer bewegen.

Wat was dat? wilde hij zeggen, maar er kwam niets uit zijn mond. Daarna was het gevoel weer verdwenen. ‘Wat was dat?’ stamelde hij toen alsnog.

‘Wat?’ vroeg Maartje.

‘Pas op,’ riep Elvira. ‘Menno, beweeg je niet.’

Menno bleef onmiddellijk helemaal stil staan. ‘Wat is er?’ mompelde hij tussen zijn lippen door. Maar voordat iemand kon antwoorden, zag hij het al. Voor zijn neus kwam een enorm beest langs een draad naar beneden zakken. Het was een grote harige bol met twaalf poten, zonder ogen. Toen hij vlak voor Menno’s gezicht hing, spleet de bol in tweeën en ging een enorme mond open.

‘Aaargh,’ schreeuwde Menno, die zich van schrik niet in kon houden. Hij staarde in de spleet. Recht in rijen en rijen oogjes.

‘Sta toch eens stil,’ zei het beest. ‘Zo kan ik je toch niet goed bekijken? Al heb ik nog zoveel ogen, hi hi hi.’

‘Lacht dat ding?’ vroeg Pauli verbaasd.

Het beest draaide zich vliegensvlug om en voor hij het wist, staarde Pauli in de enorme ogenmond. ‘Ding?’ zei het beest beledigd. ‘Ik ben anders wel de poortwachter hoor. Een beetje respect heb ik wel verdiend na al die jaren trouwe dienst. Bovendien was het best een leuke grap.’

‘Sorry poortwachter,’ zei Menno beleefd. ‘We schrokken omdat u zo plotseling tevoorschijn kwam. Bovendien dacht ik dat u me op wilde eten.’

De poortwachter draaide zich weer naar Menno.

‘Eten? Met mijn ogen? Uit wat voor een wereld komen jullie? Wie eet er nu met zijn ogen?’ Hoofdschuddend kroop hij weer iets omhoog langs zijn draad. Omdat hij voornamelijk hoofd was, zag dat er erg vreemd uit. Elvira kon een glimlach niet onderdrukken.

‘Maar goed, tijd voor de inspectie. Iemand heeft flink tegen de deur getrapt en iemand heeft een tak tussen de deur geklemd. Ik zal eens onderzoeken wat de schade is.’ Hij kroop naar de deur terwijl hij tuttende geluidjes maakte.

‘Je zou toch tot tien tellen,’ zei Davino tegen Pauli. ‘Wat nu als hij boos wordt?’

‘Hé, die tak was van Menno hoor,’ zei Pauli.

‘Ahum,’ zei de poortwachter. ‘Aandacht alstublieft. De trap heeft niets beschadigd. Dat dacht ik ook al. Ik bewaak een prima deur. Dat van die tak kan ik zo niet zien. Daar moet ik de deur voor openmaken.’

‘Kunt u dat dan?’ vroeg Maartje belangstellend.

‘Natuurlijk,’ zei de poortwachter. ‘Hoe kun je anders wachter zijn. Dan moet je toch kunnen besluiten wie erdoor mag.’

‘Ik dacht dat Leonardo dat besloot,’ zei Elvira.

‘Leonardo, hah!’ zei de poortwachter. Uit het hoofd kwam een pluimpje stoom.

‘Sorry, ik moest even stoom afblazen,’ zei hij. ‘Ik maak me altijd zo kwaad als ik aan Leonardo denk. Hij denkt dat hij maar mag beslissen of de deur open of dicht gaat en dat allemaal omdat hij een toverspreukje kent. Hah!’ Weer kwam er stoom uit zijn kop. ‘Maar wie is hier nu eigenlijk de poortwachter!?!’

‘Leonardo heeft ons hier buitengesloten,’ zei Maartje. ‘We willen graag naar binnen. Kunt u ons misschien helpen?’

‘Wat willen jullie daar dan doen?’ vroeg de poortwachter argwanend.

‘We willen eigenlijk gewoon terug,’ zei Maartje. ‘Daar komen we vandaan. We horen hier helemaal niet. We moeten naar een land met een platte berg.’

‘Dan wil je naar Bergmes,’ zei de poortwachter. ‘Daar hebben ze allemaal platte bergen. Daarom heet het daar ook Bergmes, omdat het net lijkt alsof iemand met een mes de toppen van de bergen heeft afgesneden.’

‘Kunt u ons daarnaartoe brengen?’ vroeg Pauli.

‘Ik?’ zei de poortwachter verbaasd. ‘Nee, ik ben alleen de bewaker van de junglepoort van Wispelturia. Je kunt natuurlijk via de toren reizen, maar of je door de poort van Bergmes komt, betwijfel ik.’

‘Waarom denkt u dat dat niet lukt?’ vroeg Menno.

‘Dat is de poort van Knoest,’ antwoordde de poortwachter. ‘Er is niemand die hem ziet en een enkeling die hem hoort.’

‘Wat bedoelt u daarmee?’ vroeg Menno verward.

‘Dat zul je wel merken, want van mij mag je het proberen.’ Bij die woorden van de poortwachter zwaaide de deur open.

‘Bedankt,’ zei Maartje en ze liepen door de deuropening.

‘Wat bedoelde u met een enkeling die hem hoort en..?’ vroeg Menno. Maar voor hij zijn zin helemaal af had, was de deur al achter hen dichtgevallen.

Ze zagen allemaal stukjes van de tak die Leonardo tussen de deur versplinterd had. De Zenwortel en het Wraakkruid waren verdwenen.

Zachtjes liepen ze de trap op. Bovenaan de trap openden ze de deur voorzichtig op een kiertje. Maartje gluurde naar buiten of ze Leonardo op de omloop van de toren zag staan.

'De kust is veilig,' fluisterde ze. Ze slopen, zonder een geluid te maken, naar buiten. Ze hoorden niets. Het leek erop dat Leonardo, met de Zenwortel, naar het huis was teruggegaan. Voorzichtig liepen ze de hele omloop langs om zeker te weten dat ze alleen waren.

'Ik tel hier zeven deuren, klopt dat?' vroeg Davino.

'Even denken,' zei Maartje. Ik heb door de verrekijkers Parijs, de jungle van Wispelturia, de bergen van Bergmes, het bos hier en Mystica gezien. Dat zijn er vijf. Dan heb ik er zeker twee gemist.

'Zei je Mystica?' vroeg Pauli opgewonden. 'Zouden we van hieruit zo naar Mystica kunnen reizen?'

'Ja, dat denk ik wel,' zei Davino nadenkend. 'Als de poortwachter tenminste gelijk had en alle poorten hetzelfde werken. Hoezo, wil je dan terug?'

'Uh, gaan jullie dan ook terug?' vroeg Pauli.

'Nee,' zei Elvira. 'Ik ga niet terug voordat ik Alaida heb geholpen. Jullie?'

'Nee, ik ook niet,' antwoordden Davino, Maartje en Menno in koor.

'Dan ga ik ook niet terug,' zei Pauli vastberaden. 'Jullie hebben me misschien nog nodig.'

Menno trok spottend één wenkbrauw op en wilde hem al herinneren aan de chaos die hij had veroorzaakt in Wispelturia, toen hij Maartje nee zag schudden. Ze keek hem streng aan en hij hield zijn mond. Hoewel er nog wel een soort kreun klonk. Pauli keek verbaasd om.

'Goed, dat is besloten,' zei Maartje vlug, voordat Menno nog iets kon toevoegen aan zijn kreun. 'Laten we op zoek gaan naar de poort van Bergmes.'

'Maar hoe vinden we die?' vroeg Pauli.

'Door de verrekijkers natuurlijk!' antwoordde Davino. 'Had je dat nog niet door? Door de verrekijker zie je de wereld achter de poort.'

'Natuurlijk wist ik dat,' zei Pauli en hij liep op de dichtstbijzijnde verrekijker af. 'Oh, ik zie mijn vader. Hij heeft ruzie want hij is helemaal rood en hij staat met zijn vuist te zwaaien. Hij wordt bijna nooit boos. Wat zou er aan de hand zijn?'

Davino keek ook door de verrekijker. 'Hij schreeuwt tegen een dienstmeisje. Dat heb ik hem nog nooit zien doen.' Hij draaide de kijker om naar andere delen van Mystica te kijken. 'Het lijkt er op dat er nog veel meer elfen ruzie hebben.'

'Dat is geen goed teken hè?' zei Maartje.

'Nee,' zei Davino bezorgd. 'Dat betekent dat de tovenaarsmagie een stuk sterker is geworden. Maartje, wat je in de wolken hebt gezien, gebeurt volgens mij nu.'

'Dus Alaida zit echt gevangen,' zei Pauli.

'En iedereen in Mystica is onder de invloed van de tovenaarsmagie,' voegde Davino toe.

'En die verdraaide egoïstische Leonardo steekt geen vinger uit om te helpen,' zei Elvira boos.

'Dan moeten wij het maar doen,' zei Menno. 'Waar is de poort naar Bergmes?' Hij liep naar de volgende verrekijker. 'Dit is raar. Het lijkt wel of ik onder water kijk.'

'Laat eens zien,' zei Maartje. 'Je hebt gelijk. Dit is vast nog een reispoort. Kijk eens wat een prachtige vissen.'

'Daar hebben we nu geen tijd voor,' zei Elvira. Ze liep haastig naar de volgende verrekijker. 'Hier is het volgens mij.' Ze draaide de verrekijker van links naar rechts. 'Oh fijn,' zei ze teleurgesteld. 'Het stikt hier van de platte bergen. Kunnen we iene miene mutte doen.' Ze draaide zich om naar Maartje. 'Of weet jij soms welke we moeten hebben?'

Maartje schudde haar hoofd. Ze baalde er al een tijdje van dat haar gave zo weinig hielp. Zelfs dat boek van koningin Tansia hielp geen zier.

'Hielp mijn boek maar wat meer,' zuchtte ze. 'Ik had het net zo goed thuis kunnen laten.'

'Ach welnee,' zei Menno troostend. 'Ik sleep al de hele reis die mooie houten kist mee die ik van de koning heb gekregen. Jouw boek heeft je tenminste nog verteld hoe je een wolk moet maken. Mijn kist is tot nu toe alleen maar bagage geweest. Daar had ik eigenlijk meer van verwacht. Die is tenslotte ook van koningin Tansia geweest.'

Maartje glimlachte naar Menno. Ze begreep dat hij haar wilde opvrolijken. 'Vooruit, we gaan naar de poort. Eens kijken of we erdoor kunnen.'

Ze liepen naar de deur tegenover de verrekijker van Bergmes, trokken hem open en daalden een gele wenteltrap af. De toegangspoort was gemaakt van glanzend hout. Zo donker dat het bijna zwart leek. Op ooghoogte zagen ze een rozet. Een prachtig rond houtsnijwerk met in het midden een knop in de vorm van een rozenknop.

'Er zit magie op,' zei Davino. Hij mompelde een spreuk en langzaam onthulde de deur haar geheimen. Aan de rand van de rozet verschenen allemaal houten figuren.

‘Kijk nu eens,’ zei Pauli. ‘Daar staan bloemen, en daar wolken.’

‘En daar het symbool voor een wens die uitkomt,’ wees Elvira. Het leek op een ster.

‘Ik zie ook een bliksemschicht en een doodshoofd,’ zei Menno. ‘Dat ziet er dan weer minder veelbelovend uit.’

Boven de rozet verscheen een tekst:

Voorspoed, rampspoed in ‘t verschiet,
Het lot bepaalt, dus aarzel niet.
Degeen die draait, die passeert,
Zolang de Knoest maar wordt geëerd.

‘Zouden we aan de rozet moeten draaien?’ vroeg Pauli. ‘In het midden zit een knop.’

Elvira boog zich naar voren. ‘Als je goed kijkt, zit er ook een pijl aan. Kijk, op dit moment wijst het naar het vraagteken.’

‘Dan denk ik dat Pauli gelijk heeft,’ zei Menno. ‘Maar het klinkt best gevaarlijk, want het lijkt erop dat je voorspoed of rampspoed kunt draaien.’

‘Degene die draait, die passeert,’ zei Davino. ‘Dus als we erlangs willen zullen we moeten draaien.’

‘En de Knoest eren,’ zei Elvira. ‘Hoe zou je dat moeten doen?’

‘Geen idee,’ zei Pauli. ‘Zullen we maar gaan draaien?’

‘Zonder dat we weten hoe we moeten eren? Straks hebben we rampspoed en kunnen we bovendien de deur niet door,’ zei Maartje.

‘Ach, wat, smoesjes,’ zei Pauli. ‘Volgens mij durf je gewoon niet!’

Dat liet Maartje zich niet zeggen. Zonder aarzelen stak ze haar hand uit en gaf een flinke draai aan de rozet.

Dit is je lot

‘Wat doe je!’ riep Menno. Maar het was al te laat. De rozet draaide ratelend in het rond en begon af te remmen.

Klik,

Klik,

Klik, schoot de pijl voorbij het lachende gezicht, de bloemen en het vraagteken. Recht op de bliksemschicht en het doodshoofd af.

Kl.....ik!

Na een korte pauze bij het doodshoofd, klikte de pijl op het laatste moment door naar de wolken. Opgelucht ademde Maartje uit. Ze had niet eens doorgehad dat ze al die tijd haar adem had ingehouden. Zodra ze de rozet een draai had gegeven, had ze al spijt gehad.

Ik moet ook maar tot tien gaan tellen, dacht ze.

‘Mazzelaar,’ riep Menno opgelucht. ‘Ik dacht dat je er was geweest.’

Maartje glimlachte beverig. Dat had zij ook even gedacht! Ook Davino en Elvira veegden het angstzweet van hun voorhoofd. Pauli niet. Die stond erbij te grijnzen. Het leek wel of hij die dwaze actie van Maartje wel kon waarderen.

‘Knoest, ik eer en waardeer u,’ zei Maartje. De anderen keken haar verbaasd aan. Maartje haalde haar schouders op. ‘Dat stond er toch?’ zei ze verdedigend.

‘Oh ja! “Knoest ik eer en waardeer u”, denk je nu echt dat je daarmee wegkomt?’ hoorde Menno. Hij keek verbaasd naar Pauli, maar die had niets gezegd.

‘Hmm, ze heeft de wolken gedraaid. Dat heb ik niet meer gezien sinds de tijd van koningin Tansia.’ Menno keek om zich heen, maar hij zag niemand.

'De wolken veranderen,' zei Maartje.

'Wat bedoel je?' vroeg Elvira.

'Daar, op de deur. Ik zie een grot. Er staat een afbeelding van een kikker op het plafond. Volgens mij is het een grot in de tovenaarsrots. Waarom zou ik dat zien?'

'Een wolkenlezer, dat is interessant.'

'Waarom is dat interessant?' vroeg Menno. Davino en Elvira keken hem vreemd aan. 'Hoe bedoel je?'

'En iemand die mij kan horen,' klonk het verbaasd. 'Hoe is dat mogelijk?'

'Horen jullie het dan niet?' vroeg Menno.

'Wat?' vroeg Pauli.

'Ik hoorde een stem. Die zei dat het interessant was dat Maartje een wolkenlezer is. Hij was ook verbaasd dat ik hem kon horen.'

'Waar is hij dan?' vroeg Davino.

'Ik weet het niet,' zei Menno. 'Ik kan hem alleen horen.'

'Er is niemand die hem ziet en een enkeling die hem hoort,' zei Davino.

'Wat?' vroeg Pauli.

'Dat zei de poortwachter van Wispelturia over Knoest,' zei Davino. 'Ik denk dat Menno Knoest hoort.'

'En een bijzonder slimme elf er ook nog bij,' hoorde Menno.

'Dus u bent inderdaad poortwachter Knoest?' vroeg Menno. 'Mijn naam is Menno en dit zijn mijn vrienden Maartje, Elvira, Davino en Pauli. Aangenaam met u kennis te maken.'

'Ja, ja, aangenaam terug,' zei Knoest. 'Hoe kun jij deze oude Knoest nu verstaan? Daar snap ik niets van.'

'Misschien omdat ik een mens ben?' vroeg Menno.

'Kunnen mensen dan met bomen praten?' vroeg Knoest.

'Uh nee,' zei Menno.

‘Dan lijkt me dat niet de reden,’ zei Knoest.

‘Waar hebben jullie het over?’ vroeg Davino.

‘Knoest vroeg zich af waarom ik hem kan horen,’ vertelde Menno.

‘Dat lijkt me niet zo moeilijk,’ zei Davino. ‘Dat ligt aan je gave. Daardoor kon je ook met de haag en de boomman praten toen we vorige keer de tovenaarsrots in wilden.’

‘Wat is die gave dan?’ vroeg Pauli nieuwsgierig.

‘Hij kan bomen laten groeien uit zijn been,’ vertelde Elvira. ‘Tot nu toe is dat nog niet zo nuttig geweest.’

Menno haalde zijn schouders op en zei niets. Elvira had wel een beetje gelijk vond hij.

‘Maar,’ ging Elvira door, ‘hij kan er wel dingen door, die een meubelgroeier ook kan. Zoals praten met bomen.’

‘Niet met alle bomen,’ zei Menno. ‘Alleen met speciale bomen.’

‘Juist,’ zei Knoest. ‘Alleen met speciale bomen. Daar ben ik het mee eens.’ Hij klonk zelfs een beetje trots.

‘Wat moeten we nu doen mijnheer Knoest?’ vroeg Menno. ‘Maartje heeft aan de rozet gedraaid. Mogen we er nu door?’

‘Maartje heeft geluk gehad,’ zei Knoest. ‘Bijna had ze de dood gedraaid. Dat is trouwens niet altijd zo erg als het klinkt. Het kan betekenen dat je met de dood te maken krijgt in je toekomst, maar het kan ook een nieuw begin betekenen, waarbij je breekt met het verleden. Maar goed, ze draaide de wolken. Die liggen in haar toekomst.’

Menno herhaalde zijn woorden.

‘Dus de tovenaarsrots ligt in mijn toekomst,’ zei Maartje. ‘Ik dacht dat ik daar nooit meer zou komen.’

‘Zij mag erdoor,’ zei Knoest. ‘Maar jullie moeten nog draaien.’

‘Allemaal?’ vroeg Menno.

‘Ja, daar kan ik helaas niets aan veranderen,’ antwoordde Knoest.

‘We moeten allemaal draaien, als we door de deur willen,’ vertelde Menno de anderen. ‘Zal ik eerst draaien?’ Hij greep de rozet en gaf een flinke draai. De pijl stopte bij een afbeelding van een boom.

‘Dat dacht ik al,’ zei Knoest. ‘Ook in de toekomst zal je verbonden blijven met ons bomen.’

Daarna stapte Elvira naar voren. Zij draaide een afbeelding met dieren.

‘En zij is verbonden met dieren,’ legde Knoest uit.

‘Dat klopt wel,’ zei Menno. ‘Zij is een dierenfluisteraar.’

‘Nu jullie,’ zei Maartje.

‘Ik ga liever nog niet,’ zei Pauli. ‘Ga jij maar eerst Davino.’

Davino stapte naar voren, maar stapte per ongeluk op Pauli’s voet. Hij probeerde zijn evenwicht te bewaren en greep zich vast aan de rozet. De rozet ging draaien en kwam na een paar klikjes tot stilstand.

‘De bliksemschicht,’ zei Menno.

‘Maar die draai geldt toch niet?’ zei Elvira. ‘Hij struikelde!’

‘Een draai is een draai en dit is je lot,’ zei Knoest.

‘Het telt blijkbaar toch,’ zei Menno. ‘Wat betekent een bliksemschicht mijnheer Knoest?’

‘Dat is het noodlot dat toeslaat,’ zei Knoest somber. ‘In zijn toekomst zal iets ergs gebeuren.’

Davino trok wit weg toen hij van Menno de betekenis van de bliksemschicht hoorde. ‘Ik dacht dat er noodweer op komst was of zoiets. Maar het noodlot, dat is verschrikkelijk.’

'Ik ga echt niet meer draaien hoor!' riep Pauli. 'Straks krijg ik ook noodlot.'

'Waar maakt hij zich zo druk over?' vroeg Knoest. 'De rozet bepaalt het lot niet, maar laat je lot alleen maar zien. Dan weet je tenminste waar je aan toe bent.'

Menno legde aan Pauli uit hoe de rozet werkte. Na flink wat overtuigen, liep Pauli aarzelend op de rozet af.

'Niet aarzelen, gewoon doen,' moedigde Menno hem aan.

Pauli stapte naar voren en gaf een draai aan de rozet. Wild draaide de pijl rond en rond....

'Nee!' schreeuwde Pauli.

De pijl was gestopt bij het doodshoofd!

'De dood of een nieuw begin,' mompelde Knoest. 'Interessant, die wordt bijna nooit gedraaid. Dat is een boeiende toekomst. Het wordt in ieder geval niet saai voor jullie in Bergmes. Veel succes, je zult het nodig hebben.'

De deur zwaaide open.

Elvira en Maartje hielpen een lijkbleke Davino en een jammerende Pauli de deur door, het rijk van Bergmes in.

'Hoe kunnen we weer terug naar de toren?' vroeg Menno voor hij door de deur stapte. 'Wilt u ons dan weer doorlaten?'

'Hmm, ook een slim mensenkind,' zei Knoest waarderend. 'Ik zal jullie toelaten zonder lotsbepaling door de rozet. Noem mijn naam drie keer als je erdoor wilt en ik zal de deur voor jullie openen.'

'Hartelijk dank mijnheer Knoest,' zei Menno beleefd. 'Tot dan.' Hij liep door de deur en werd aangevallen door een woedende Pauli.

'Hartelijk dank mijnheer Knoest,' zei Pauli woest. 'Hoe bedoel je bedankt? Ik heb een doodshoofd gedraaid. Ik ga dood!'

‘Je gaat helemaal niet dood,’ zei Menno geschrokken. ‘Het kan dat er iemand dood gaat, maar het kan ook gewoon een nieuw begin zijn. Dat je breekt met het verleden. Misschien ga je wel tot tien leren tellen.’

‘Dus ik ga niet dood?’ vroeg Pauli, al iets kalmer.

‘Ik denk het niet,’ zei Menno. Hij liep naar Davino die zwijgend op een grote steen was gaan zitten.

‘Misschien is het beter als ik niet met jullie meereis,’ zei Davino. ‘Straks lukt het door mij niet om Alaida te bevrijden.’ Menno sloeg een arm om hem heen.

‘Misschien is dat juist wel het noodlot dat ons te wachten staat,’ zei Menno. ‘Dan staan we straks voor een deur die beschermd is met magie en kunnen we niet lezen wat we moeten doen, omdat jij niet mee bent.’

‘Ja,’ zei Elvira. ‘Zonder jou gaan we echt niet hoor!’

Davino aarzelde. ‘Denk je echt dat dat verstandig is?’

‘Mijn vader zegt altijd: “Een mens lijdt het meest door het lijden dat hij vreest”,’ zei Menno.

‘Wat betekent dat nu weer?’ vroeg Pauli.

‘Dat je niet bang moet zijn voor de toekomst,’ zei Maartje. ‘Anders ben je de hele tijd bang voor wat er gaat komen en dat is vaak veel erger dan het vervelende dat echt gebeurt.’

‘Bovendien,’ voegde Menno toe. ‘Dat vervelende gebeurt toch wel, of je je er nu druk over maakt of niet.’

‘Dus we moeten gewoon doorgaan alsof we geen doodshoofd en bliksemschicht hebben gedraaid?’ vroeg Davino.

‘Eigenlijk wel,’ zei Menno.

‘We kunnen natuurlijk wel een beetje opletten en oppassen,’ zei Elvira.

'Ja,' zei Menno, 'maar we doen wel wat we anders ook zouden doen.'

Davino knikte. 'Dat klinkt eigenlijk heel verstandig. Je weet tenslotte niet wat het noodlot is, dus als je dingen anders gaat doen, omdat je het gedraaid hebt, lok je het misschien juist eerder naar je toe.'

'Dus we gaan gewoon op weg om Alaida te zoeken,' zei Elvira. Ze keek om zich heen. 'Waar zullen we beginnen? Er zijn hier inderdaad een heleboel platte bergen.'

'Ik zie iets in de wolken,' zei Maartje.

'Wat dan?' vroeg Davino. 'Zie je Alaida weer?'

'Nee, ik zie een boek.'

'Een boek?' zei Davino. 'Welk boek?'

'Het is mijn boek,' zei Maartje. Ze pakte haar boek en sloeg het open. 'Zou er iets nuttigs in staan?' Ze keek het hele boek door maar kon niets vinden. Gefrustreerd sloeg ze het weer dicht.

'Wat is dit?' vroeg Menno. Hij raapte een papiertje van de grond.

'Dat lijkt op het papiertje dat ik bij Alaida's huisje vond,' zei Pauli.

'Waar komt dat vandaan?' vroeg Davino.

'Volgens mij uit Maartjes boek,' antwoordde Menno. 'Er staat "telefoon" op.'

'Wat betekent dat nu weer?' vroeg Elvira.

Maartje zocht in haar rugzak naar haar telefoon. 'Mijn telefoon is al de hele tijd aan het piepen,' zei ze. 'Misschien betekent dat toch iets.' Ze keek naar de ontvangen berichten. Wat raar, die waren toch leeg geweest?

'Het lijkt wel of er nu wel iets in staat.'

'Wat staat er dan?' vroeg Pauli nieuwsgierig.

'Er staat:

"Tovenaar in de smelterij. Niemand gelooft ons. Tommy en Sam."

'Is dat alles?' vroeg Menno. 'Staat er niet bij waar die smelterij is?'

'Nee,' antwoordde Maartje. 'Dat bericht heb ik een paar keer ontvangen. Maar er staat steeds hetzelfde in.'

'Zullen we een berichtje terugsturen?' vroeg Menno.

'Kan dat dan?' vroeg Davino.

'Bij ons wel,' zei Menno. 'Hier weet ik het niet, maar we kunnen het wel proberen.'

Maartje was ondertussen al druk bezig een berichtje te maken.

Wij geloven jullie. Waar is die smelterij?

'Zo, het berichtje is weg. Ik ben benieuwd of er antwoord komt.'

'Wat doen we nu?' vroeg Elvira. 'Wachten we op antwoord of gaan we al op weg?'

'Wachten op antwoord denk ik,' zei Maartje.

'Op weg gaan,' zei Pauli tegelijkertijd.

'We kunnen toch niet wachten?' Elvira was het duidelijk met Pauli eens. 'Straks komt er geen bericht. Of komt het bericht helemaal niet uit Bergmes.'

Daar had Elvira gelijk in. Ze waren net op weg toen Maartjes telefoon weer piepte.

'Gelukkig,' zei Maartje. 'Er staat:

"In Goudstad."

Ik zal maar even vragen of dat in Bergmes ligt. Voor de zekerheid.'

Niet lang daarna kregen ze bericht dat Goudstad inderdaad in Bergmes lag.

'Nu hoeven we alleen Goudstad nog maar te vinden,' zei Menno.

'Toen ik door de verrekijker keek, zag ik een stadje liggen,' zei Maartje. 'Daar kunnen we de weg wel vragen.' Zachtjes zei ze voor zich uit: 'Bedankt boek.' Want zonder haar boek hadden ze niet geweten waar ze naar toe moesten en ze had de laatste tijd best een beetje op haar boek gemopperd.

Ze liepen flink door en tegen het einde van de middag stonden ze op een heuvel en zagen ze in de verte een stadje liggen, dat omringd werd door een bos.

'Dat is het,' zei Maartje. 'Nu zijn we er bijna, alleen het bos nog door.'

In het bos liepen ze steeds langzamer. Hun voeten leken zich vast te zuigen in het pad en iedere stap kostte kracht, heel veel kracht. Alleen Pauli leek nergens last van te hebben en stapte vrolijk door.

'Pauli, wacht, we kunnen niet zo hard,' riep Elvira.

Verbaasd keek Pauli om. 'Jullie hebben ook geen conditie.'

'Het lijkt wel of ik door stroop loop,' zei Menno.

'Hoe bedoel je?' vroeg Pauli.

'Mijn voeten worden vastgezogen en het lijkt wel of de lucht heel dik is, zodat ik er haast niet doorheen kom,' zei Menno. Hij keek om naar de anderen. 'Hebben jullie dat ook?'

Ze knikten.

'Dus ik ben de enige die er geen last van heeft?' zei Pauli. 'Dat is raar.'

'Ik heb het volgens mij ook niet zo zwaar als de anderen,' zei Davino. 'Maar ik merk het wel.'

'Misschien is er iets raars aan de hand met dit bos,' zei Maartje. 'Zal ik Tommy en Sam eens vragen of zij er meer van weten?'

Ze stuurde een berichtje. Direct kwam er een bericht terug:

Dan zijn jullie in het bos rond Goudstad. Wij kunnen ook niet meer weg sinds de tovenaar hier is geweest.

'Het goede nieuws is dat we vlak bij Goudstad zijn,' zei Maartje. 'Het slechte nieuws is dat er waarschijnlijk een toverspreuk van een tovenaar op het bos zit. Het wordt dus moeilijk om bij Tommy en Sam te komen.'

'Een tovenaarsspreuk,' zei Menno. 'Had jij daar niet iets tegen Davino?'

'Ik kan de spreuk niet ongedaan maken,' antwoordde Davino. 'Maar ik kan wel het effect op ons verminderen. Daarom had ik denk ik ook minder moeite om vooruit te komen. Ik heb zoveel spreuken over me heen gekregen. Daar is blijkbaar nog iets van over.'

Hij sprak de spreuk een paar keer uit over Maartje, Menno, Elvira en zichzelf en van toen af aan konden ze een stuk beter vooruit komen. Het ging nog steeds moeizaam, maar nu leek de grond niet meer te plakken.

Menno keek argwanend naar Pauli. Wat raar dat hij geen last heeft van die tovenaarsspreuk, dacht hij. Ook herinnerde hij zich dat hij zich niet kon bewegen, toen Pauli zo boos op hem was geweest. Wat zou hier aan de hand zijn? vroeg hij zich af. Hij nam zich voor om Pauli goed in de gaten te houden.

Gestolde magie

'Ik hoor geschreeuw,' waarschuwde Davino.

'Dat is geen geschreeuw, dat is gejuich,' zei Elvira.

'Waarschijnlijk weer een sportwedstrijd,' zei Maartje. 'Daar waren ze ook mee bezig toen ik de eerste keer door de verrekijker keek.'

Ze kwamen aan bij een veld aan de rand van het bos en zagen een menigte die luidkeels twee teams aan stond te moedigen. De spelers zaten onder de modder en het spel was duidelijk al enige tijd aan de gang. Ze probeerden de aandacht van enkele toeschouwers te trekken, maar de wedstrijd was blijkbaar te spannend. Niemand wilde hen te woord staan. Er zat niets anders op dan te wachten tot de wedstrijd voorbij was.

Na een tijdje kijken, begreep Maartje nog steeds niet wat de bedoeling was.

'Weten jullie wat het doel van het spel is?' vroeg ze.

'Het heeft, denk ik, te maken met die stokjes die ze vasthouden,' zei Davino. 'Iedere keer als een speler een stokje in die mand weet te krijgen, joelen ze heel hard.'

'Kennen jullie stokmand niet?' klonk een verbaasde stem achter hen. 'Iedereen kent stokmand toch? Waar komen jullie vandaan? Van de maan of zo?'

Ze keken op. Blijkbaar was er toch iemand die tijdens de wedstrijd met ze wilde praten. Het was een grote gespierde man die hen hoofdschuddend aan stond te kijken. Hij legde de spelregels van stokmand uit, terwijl hij enthousiast naar het spel wees.

'Mogen we u nog iets anders vragen?' vroeg Maartje beleefd.

'Hm, vooruit dan maar, als het maar kort is,' zei de man met tegenzin.

'Kent u Tommy en Sam?' vroeg Maartje.

'Tommy en Sam?' antwoordde de man boos. 'Die ken ik zeker. Met hun rare verhalen over mijn smelterij proberen ze me voor gek te zetten. Hah, alsof ik ooit zou gieten. Het idee alleen al. Dat is verboden! Die leugenaartjes zitten in het huisje van Tommy's opa, verderop aan rand van het bos.' Hij wees met zijn enorme hand richting een huisje.

'Dank u wel,' zei Maartje.

Terwijl ze wegliepen hoorden ze de man nog mompelen. 'Wat voeren die in hun schild? Tommy en Sam, dat kan nooit veel goeds betekenen.'

'Die Tommy en Sam van jou zijn niet zo populair,' zei Pauli. 'Misschien zijn die berichtjes wel één grote grap.'

'Er zit magie op hem,' fluisterde Davino. 'Hij is betoverd.'

Ze keken om naar de man die hen argwanend stond na te kijken.

'Weet je het zeker?' vroeg Elvira. 'Ik zie niets.'

'Kijk daar, om zijn hoofd, daar glimt een laagje magie,' zei Davino.

Elvira schudde haar hoofd. 'Ik zie het niet. Jij Maartje?' Ook Maartje schudde haar hoofd.

'Het lijkt wel of je steeds beter wordt in het herkennen van magie,' zei ze.

Davino knikte. 'Dat gevoel had ik ook al. Zijn al die uren studie in de Koninklijke bibliotheek toch niet voor niets geweest.'

'Hallo, is daar iemand?' riep Elvira toen ze even later bij het huisje aankwamen.

'Laat ons nu maar met rust,' zei een jongensstem. 'We zullen het niet meer over de tovenaar hebben.'

'Maar we willen het juist graag over de tovenaar hebben,' zei Maartje. 'Daarom zijn we naar jullie toegekomen.'

'Wat!' riep de jongen opgewonden. 'Sam, kom hier, ze zijn er. Het is ze gelukt om door het bos te komen.'

De deur vloog open en een kleine jongen met sprankelende ogen en rode wangen van opwinding, wenkte hen naar binnen. 'Kom binnen, kom binnen. Opa, ze zijn er! Ziet u nu wel dat ik gelijk had.'

Achter de jongen verscheen een oude man die lachend naar zijn kleinzoon keek.

'Wie zijn je vrienden, Tommy?' vroeg hij.

Tommy keek een beetje beteuterd.

'Ik ben Menno en dit zijn Elvira, Davino, Maartje en Pauli,' stelde Menno iedereen voor.

'Aangenaam,' zei de man. 'Ik ben Angelo Buitenbeen, de opa van Tommy en dit is Sam, zijn vriend.' Achter opa Buitenbeen verscheen het hoofd van nog een jongetje dat hen verlegen toelachte. 'Wat brengt jullie naar Goudstad?'

'We kregen een berichtje van Tommy over een tovenaar,' vertelde Maartje. 'Daarom zijn we hierheen gekomen. Wij zijn op zoek naar een platte berg waar de tovenaars een kooi hebben gebouwd.'

'Zie je wel, zie je wel,' Tommy sprong als een dolgedraaide stuiterbal op en neer.

'Rustig maar jongen,' zei zijn opa. 'Jullie moeten maar even binnenkomen om alles uit te leggen. Toen Tommy en Sam het over een tovenaar hadden, geloofden we hen niet. Vooral omdat de Smelter helemaal geen tovenaar had gezien.'

Eenmaal binnen vertelde Tommy over de tovenaar die de Smelter had gedwongen magische tralies te gieten en ook dat niemand zich dat kon herinneren.

'De Smelter, is dat een grote gespierde man met handen als kolenschoppen?' vroeg Davino. Tommy knikte.

'Dan vind ik het niet zo raar dat hij zich de tovenaar niet meer kan herinneren,' zei Davino. 'Er lag duidelijk een magische spreuk over hem heen. Hij is gewoon betoverd.'

'Ik dacht dat hij zich schaamde,' zei Tommy. 'Omdat hij de tralies had gegoten terwijl dat verboden is.'

'Weten jullie ook waar de tovenaar naar toe is gegaan met die tralies?' vroeg Elvira.

'Nee,' zei Tommy. 'Toen we op onderzoek wilden gaan in het bos, kwamen we iedere keer niet verder. Het leek wel of de lucht steeds dikker werd en of onze voeten werden vastgehouden. We hebben het op verschillende plekken geprobeerd, maar we kwamen er steeds niet door.'

'Dat is ook een tovenaarsspreuk,' zei Davino. 'Het lijkt erop dat die spreuk op het bos rond Goudstad zit. Wij konden er ook haast niet doorkomen.'

'Zie je wel,' zei Tommy weer. 'Niemand wilde me geloven. Zelfs u niet.'

'Sorry Tommy,' zei zijn opa. 'Maar dat is ook een beetje je eigen schuld. Weet je nog hoe vaak je me voor de gek hebt gehouden met je verhalen? Ik heb je zo vaak geloofd, terwijl het niet waar was, dat ik er uiteindelijk mee ben opgehouden.'

Tommy keek naar zijn schoenen. 'Sorry opa, u hebt gelijk. Daar zal ik mee ophouden. Het is heel vervelend als niemand je gelooft.'

‘Waarom willen jullie die tovenaar vinden?’ vroeg opa Buitenbeen terwijl hij Tommy een aai over zijn hoofd gaf. ‘Is dat niet gevaarlijk?’

‘Jawel,’ antwoordde Elvira. ‘Maar we moeten wel. We denken dat hij die tralies heeft gemaakt om een vriendin van ons gevangen te houden. We moeten haar bevrijden, anders is Mystica, ons land, in gevaar.’

‘Mystica,’ zei opa Buitenbeen bedachtzaam. ‘Daar heb ik wel eens van gehoord, maar iedereen zei altijd dat het maar een sprookje was. Interessant! Dus daar komen jullie vandaan?’

‘En van de mensenwereld,’ zei Menno. ‘Daar komen Maartje en ik vandaan.’

‘Nou, welkom in Bergmes. Wat een bijzonder bezoek,’ zei opa Buitenbeen. ‘Nog zo’n verhaal dat niemand in Goudstad ooit gaat geloven. Dat is het lot van mijn familie. Bij ons gebeurt altijd iets ongewoons. Dan zeggen ze: “Daar heb je weer een Buitenbeentje”, maar ze geloven ons eigenlijk nooit.’

‘Kunnen jullie de betovering van de Smelter niet opheffen?’ vroeg Tommy. ‘Jullie konden toch ook door het bos komen?’

Davino schudde zijn hoofd. ‘Ik kan het effect van de tovenaarsmagie verminderen,’ zei hij. ‘En dat kan ik steeds beter, maar ik kan de spreuk niet ongedaan maken. Na een tijdje vermindert het effect van mijn spreuk en keert het effect van de tovenaarsspreuk weer terug. Het lijkt wel of mijn spreuk vervliegt.’

‘Voor de spreuk in het bos heb je ook een sterkere spreuk nodig, want nu kostte het ons best nog veel moeite om erdoor te komen,’ zei Menno.

‘Konden we de spreukenkracht die vrij komt bij het losmaken van een spreukenknoop maar vangen,’ zei Pauli.

‘Wat zegt hij nu?’ vroeg opa Buitenbeen. Davino legde uit wat Pauli bedoelde en hoe een spreukenknoop werkte.

‘Volgens mij deed de tovenaar zijn magie in het goud,’ zei Sam die tot nu toe een beetje op de achtergrond was gebleven.

‘Dat klopt,’ zei Tommy. ‘We moesten het goud heel heet maken. Pas toen het vuur witheet was en het goud roodgeel, was het goed genoeg. Toen zei de tovenaar zijn spreuken boven het goud. Ik denk dat die spreuken ook in het afgekoelde goud zitten.’

‘Maar waarom zeg je dat, Sam?’ vroeg Maartje, die het gevoel had dat Sam er iets mee bedoelde.

‘Kunnen we die spreuken van Davino niet ook in goud gieten?’ stelde Sam voor. ‘Misschien blijven ze dan werken. Die tovenaar deed dat vast niet voor niets.’

‘Maar we weten helemaal niet of dat gaat werken,’ zei Elvira.

‘Maar als het wel helpt, kunnen we de Smelter helpen,’ zei Menno. ‘Dan kan hij een met magie geladen stuk goud bij zich dragen en weet hij alles weer.’

‘Bovendien kunnen de mensen van Goudstad dan weer door het bos naar andere steden reizen,’ zei Tommy. ‘Nu heeft nog niemand dat geprobeerd, waarschijnlijk door die toverspreuk, maar de voorraden beginnen op te raken en het duurt niet lang meer of we komen in de problemen.’

‘Voor ons zou het ook fijn zijn om iets te hebben dat ons tegen tovenaarsmagie beschermt,’ zei Menno. ‘We moeten straks waarschijnlijk tegen ze strijden en als ze dan zo’n spreuk doen waardoor je je niet meer kunt bewegen, zoals de vorige keer, dan zijn we direct heel lang uitgeschakeld.’

‘Je hebt gelijk,’ zei Davino. ‘We moeten het proberen.’

‘Maar hoe komen we aan goud?’ vroeg Pauli.

‘En waar kunnen we dat roodgeel smelten en er dan iets van gieten dat we bij ons kunnen dragen?’ vroeg Elvira.

‘Dat kan alleen bij de Smelter,’ zei Tommy. ‘Je moet zorgen dat hij zich die tovenaar herinnert. Als hij weer weet dat die tovenaar hem heeft laten gieten, wil hij ons vast helpen de tovenaars te verslaan.’

Ze liepen met allemaal terug naar het stokmandveld. De wedstrijd was afgelopen en er lag alleen nog een modderig veldje. Het was stil in het stadje.

‘Hij is vast in de smelterij,’ zei Tommy. Ze liepen door en zagen verderop een rode gloed onder twee grote deuren doorkomen.

‘Dat komt goed uit,’ zei Sam. ‘De vuren zijn aan. Het lijkt erop dat hij gaat smelten.’

Ze klopten op de deur en gingen naar binnen.

‘Wie heeft jullie toestemming gegeven hier weer terug te komen?’ zei de Smelter dreigend tegen Tommy en Sam. ‘Buitenbeen, ik heb je al gezegd dat je kleinzoon hier niet meer welkom is.’

‘Smelter, zouden we je even apart kunnen spreken,’ zei opa Buitenbeen. ‘Wij hebben hier wat gasten die je iets belangrijks te vertellen hebben.’

‘Doorwerken!’ zei de Smelter streng tegen de blaasjongens. Hij liep naar een ruimte naast de smelterij en verdween door de deur.

‘Zouden we hem moeten volgen?’ vroeg Menno aarzelend.

‘Ik denk van wel,’ zei opa Buitenbeen. ‘Als dat niet de bedoeling is, horen we het wel.’

‘Nou, laat maar horen,’ zei de Smelter die inderdaad op hen zat te wachten.

‘Wij kunnen bewijzen dat Tommy en Sam de waarheid spreken over die tovenaar,’ zei Davino. ‘Vindt u het goed als we dat doen?’

‘Ha, wat een onzin,’ zei de Smelter. ‘Welja, bewijs het maar als je kunt.’

Davino mompelde zijn spreuk en de Smelter schuifelde onrustig op zijn stoel.

‘De magie trilt even, maar ik denk dat ik een aantal keer de spreuk achter elkaar moet zeggen terwijl ik u aanraak,’ zei Davino tegen de Smelter.

‘Waar heb je het over?’ zei de Smelter. ‘Een magische spreuk? En jullie denken dat ik daar intrap?’ Hij keek Tommy boos aan. ‘Wil je me nu alweer voor de gek houden?’

Davino pakte de Smelter bij zijn schouder en zei de spreuk vlug een paar keer achter elkaar. De Smelter die kwaad half uit zijn stoel was opgestaan, ging met een plof weer zitten. Zijn mond hing open en hij keek versuft voor zich uit.

‘Is het gelukt?’ vroeg Maartje.

‘Ik denk het wel,’ zei Davino. ‘De magie rond zijn hoofd is verdwenen.’

‘Waarom kijkt hij dan nu alsof hij de hersens van een mug heeft?’ vroeg Pauli.

Davino haalde zijn schouders op. ‘Ik denk dat dat wel weer over gaat,’ zei hij hoopvol.

Ze hadden geluk. Na een minuut of vijf knipperde de Smelter weer met zijn ogen en begon hij weer te bewegen. Hij keek nu heel anders uit zijn ogen.

‘Er is een tovenaar geweest,’ mompelde hij. ‘Ik heb goud gegoten.’

‘Dat zeiden we toch,’ zeiden Tommy en Sam.

‘Sorry, dat ik jullie niet geloofde,’ verontschuldigde de Smelter zich.

‘Daar kon u niets aan doen,’ zei Maartje. ‘U was betoverd. Davino heeft het effect van de betovering weggehaald. Daarom kunt u het zich nu herinneren.’

‘Die schoft heeft me laten gieten.’ De Smelter kon het nog steeds haast niet geloven. ‘Dat zet ik hem betaald.’ Hij balde zijn enorme vuisten en keek woest om zich heen.

‘Wilt u ons helpen om de tovenaars te verslaan?’ vroeg Menno.

De Smelter aarzelde geen moment. ‘Jazeker, wat kan ik doen?’

‘Tommy vertelde dat de tovenaar zijn magie in goud had gegoten,’ zei Maartje. ‘Eigenlijk willen wij dat ook graag doen. Davino heeft een spreuk die tegen tovenaarsmagie beschermt, maar die werkt maar heel kort. Wij willen die spreuk ook in goud gieten. Misschien werkt de spreuk dan langer en hebben we een kans om onze vriendin Alaida te bevrijden. Zij wordt door de tovenaars gevangen gehouden.’

De Smelter keek bedachtzaam terwijl hij het verhaal aanhoorde. Zou hij echt gaan helpen? Maartje wachtte gespannen zijn reactie af.

Langzaam knikte de Smelter: ‘Ok.’

Maartje ademde langzaam uit. Ze was zo gespannen aan het wachten op het antwoord van de Smelter, dat ze vergeten was om te ademen. Ook Davino naast haar leek te zuchten van opluchting.

‘Maar hoe komen we aan dat goud?’ bedacht Menno. ‘Dat is toch heel zeldzaam en kostbaar?’

De Smelter keek hem verbaasd aan. ‘Kostbaar? Hoe kom je daar nu bij? Dat ligt hier in de rivier voor het oprapen. Wij gebruiken het niet zo veel, want het is niet zo sterk, het buigt te makkelijk. Alleen voor versiering, want het is wel mooi geel.’ Hij wees op een lamp die inderdaad prachtig versierd was met gouden krullen.

‘Goed, we gaan aan de slag. Wat willen jullie maken met dat magische goud?’ vroeg de Smelter.

Daar hadden ze nog niet goed over nagedacht.

‘Iets dat we makkelijk mee kunnen nemen,’ vond Davino.

‘Het moet niet te groot zijn, want dan is het te zwaar om te dragen. Misschien een aantal dingen, zodat we allemaal wat kunnen dragen,’ bedacht Maartje.

‘Ik denk dat een hanger het beste werkt,’ zei Elvira. ‘Die kun je makkelijk aan een kettinkje onder je kleren dragen en omdat je hem om hebt, verlies je hem minder snel.’

De anderen vonden dit ook een goed idee.

‘Ik moet de Gieter om hulp vragen,’ zei de Smelter. ‘Ik ga niet nog een keer gieten en de wet overtreden. Bovendien heeft hij mallen om hangers te maken.’

Voor ze op weg gingen naar de Gieter, liep de Smelter de smelterij nog een keer binnen.

‘Stook het vuur zo heet als jullie kunnen. We gaan goud smelten.’

De blaasjongens trokken aan de blaasbalgen en de Smelter vulde een bak met goud uit een voorraadkist. Hij schoof de bak boven het vuur. ‘Als ik terug ben wil ik dat het vuur witheet is.’

De gieterij lag naast de smelterij. Dat was handig, want dan hoefde de Gieter niet zo ver te lopen met zijn mallen. De Gieter had mallen voor alle soorten sieraden en munten. Ook voor een hanger had hij diverse mallen. De hangers waren rond of ovaal en allemaal hadden ze een gaatje aan de bovenkant, waar je een touwtje door kon rijgen, zodat je hem om je nek kon hangen.

'Die vind ik mooi,' zei Elvira. Ze wees op een hanger waar een vogeltje op een tak zat. Het zag eruit of het elk moment weg kon vliegen. Het was inderdaad een prachtig ontwerp.

'Ik vind die mooi,' zei Menno. Het was een hanger met een afbeelding van een grote boom. 'Jij vindt die zeker mooi hè, Maartje?' Hij wees op een hanger met een lucht met wolken. Maartje moest lachen.

'Eigenlijk vind ik die het mooist.' Ze wees op een ontwerp met krullen en figuren. 'Die lijkt een beetje op mijn medaillon.'

'Je hebt gelijk, het lijkt er erg op,' zei Davino.

'Maar hoe kunnen we hiervoor betalen?' vroeg Menno. 'We hebben geen Bergmessiaans geld.'

'Als jullie voor alle mensen in Goudstad een hanger maken, zodat ons dit niet nog een keer kan overkomen en we het bos door kunnen, krijgen jullie van mij de hangers die je nodig hebt,' zei de Smelter. De Gieter, die eerder hun verhaal met verbazing had aangehoord en er nog steeds uitzag of hij niet wist of hij het moest geloven, knikte ook.

'Als de Smelter hangers weg gaat geven, dan moet jullie verhaal wel waar zijn,' zei hij met een lach. 'Ik hoef ook geen betaling.'

'Hoeveel hangers zijn dat?' vroeg Davino. 'Ik weet niet of ik er zoveel kan maken met mijn spreuken.'

'Dan doen we het niet voor iedereen,' zei de Smelter. 'We hebben er honderdtwintig nodig, voor de belangrijkste mensen uit de stad. Hoeveel hebben jullie er nodig?'

'Vijf denk ik,' zei Elvira.

'Ik denk veel meer,' zei Menno. 'Misschien hebben we er nog wel één voor Alaida nodig en wie weet wie de tovenaar onderweg nog betoverd heeft.'

'Bovendien hebben we ze misschien nodig als we weer in Mystica aankomen,' bedacht Maartje. 'Daar is zelfs de koning onder de invloed.'

'Ja,' zei Davino aarzelend. 'Jullie hebben gelijk, ook wij hebben een voorraad nodig. Maar ook niet teveel, want we moeten het allemaal dragen.'

'Dan doen we er toch vijftig,' stelde Pauli voor. 'Dan dragen we er allemaal tien, dat is toch niet te zwaar?'

'Of te duur?' voegde Elvira toe.

'Geen probleem,' zei de Smelter. 'Tenminste, als jij zoveel spreuken in je hebt.'

Davino keek bedenkelijk. 'Ik weet ook niet of steeds een enkele spreuk in het goud doen, krachtig genoeg is. Bovendien moeten we het goud dan heel lang zo heet houden.'

'Ik kan een spreukenknoop maken,' stelde Pauli voor. 'Dan kun je de spreuk honderdzeventig keer doen. Dan maak ik de knoop los en doe jij alle spreuken in het goud.'

'Maar dat is heel pijnlijk,' zei Maartje bezorgd. Ze dacht terug aan de pijn die ze had gevoeld toen ze Davino de vorige keer had aangeraakt en huiverde.

'Dat kan ik wel,' zei Davino stoer.

'Hebt u een touw?' vroeg Pauli. Hij pakte een dun touwtje van de Gieter aan en begon de spreukenknoop in Davino's haar te knopen.

'Wacht eens,' zei Menno. 'Hoe krijgen we de spreuken dan in het goud? Davino kan die spreuk alleen overbrengen als hij iemand aanraakt.'

Gelukkig had opa Buitenbeen daar een oplossing voor. 'Met mijn scepter,' zei hij, alsof dat alles duidelijk maakte. Hij keek naar de vragende gezichten om hem heen en verklaarde: 'We kunnen de spreuken met mijn scepter in het goud brengen. Ik weet bijna zeker dat het daarvoor bedoeld is. Maak je geen zorgen, dat regel ik wel.' Hij liep zo hard als zijn oude benen konden in de richting van zijn huisje.

De anderen liepen terug naar de smelterij. De Gieter bracht zijn mallen mee, want het goud moest zo heet en zo snel mogelijk gegoten worden. Davino ging geconcentreerd in een hoekje zitten en sprak één voor één de spreuken uit. Af en toe voelde hij even aan de spreukenknoop, alsof hij zeker wilde weten dat alles nog goed zat.

Ondertussen was de rest met de voorbereidingen bezig. De blaasjongens trokken zo hard ze konden aan de blaasbalgen. Ook Tommy en Sam werkten mee. Ze hadden hun oude plekje bij hun blaasbalg weer teruggekregen en moedigden hun vrienden aan. Na een flinke tijd hard werken, hadden de blaasjongens genoeg lucht in het vuur geblazen. Het vuur bleef witheet en het goud borrelde roodgeel in de smeltbak.

Opa Buitenbeen stapte op dat moment de smelterij weer binnen. In zijn hand had hij een zilverkleurige staf met aan het einde een knop in de vorm van een kroon. De staf was van onder tot boven versierd met allerlei figuren.

'Deze scepter is al heel lang in mijn familie,' vertelde opa Buitenbeen. 'De scepter en het verhaal dat erbij hoort, worden overgedragen van vader op oudste zoon als de zoon oud genoeg is.' Hij keek naar Tommy. 'Van mij zal hij op jou overgaan, omdat je vader er niet meer is. Maar nu zal ik jullie het verhaal vertellen. Lang geleden kwam een elfenkoningin uit Mystica naar Bergmes. Ze kwam naar het huisje van mijn over-overgrootvader en vroeg hem deze scepter te bewaren tot het moment dat tovenaars Bergmes onveilig zouden maken. Volgens haar zou dit ver in de toekomst gebeuren en zouden wij, de nakomelingen van Buitenbeen, op dat moment weten waar we de scepter voor moesten gebruiken.' Hij keek even om zich heen, naar de geschokte gezichten. 'Ik denk dat we hem hiervoor moeten inzetten. Er is niets anders dat de hitte van het goud kan weerstaan en toch de spreuken kan overbrengen. Dat moet iets magisch zijn.'

'Was het koningin Tansia?' vroeg Maartje zachtjes.

Opa Buitenbeen knikte. 'Dat was haar naam. Heb je van haar gehoord?'

Elvira knikte. 'Zij kon de toekomst voorspellen. Ze heeft vast in de wolken gezien dat de scepter hier nodig zou zijn. Dat kan haast niet anders.'

Pauli keek nog eens goed naar de scepter. Hij wees naar de bovenkant van de staf, vlak onder de kroon. 'Dat is het wapen van mijn familie,' zei hij verbaasd.

'Dan is het de verdwenen scepter van koning Sufficus,' zei Davino. 'Hij staat in alle boeken genoemd als de koning die de magische koningsscepter is kwijtgeraakt. Maar ondertussen had zijn schoondochter hem hier gebracht.'

'Sufficus, Sufficus, die verloor zijn staf,
Sufficus, Sufficus, dan ben je echt wel maf,' rijmde Pauli.

Elvira lachte. 'Er zijn heel wat kinderliedjes die koning Sufficus belachelijk maken, omdat hij zijn staf is verloren.'

'Die arme man,' zuchtte Maartje.

'Goed, laten we het maar proberen,' stelde de Smelter voor.

Davino pakte de scepter aan van opa Buitenbeen en deed de scepter in het goud. Er gebeurde inderdaad niets. De scepter smolt niet en werd ook niet heet. Hij leek alleen een blauwe gloed te krijgen.

'Kijk, er zit magie omheen,' zei Davino vol bewondering.

'Ben je er klaar voor?' vroeg de Smelter gespannen.

'Ja,' zei Davino zachtjes en aarzelend. Hij schraapte zijn keel en zei nog eens, nu krachtig en vastbesloten: 'Ja!'

Hij haalde diep adem. 'Nu,' riep hij en Pauli trok de spreukenknoop los.

Zodra de knoop los was, begon Davino te trillen. Hij wankelde op zijn benen en liet bijna de scepter los. De Smelter schoot te hulp en hield Davino overeind. Hij kreeg zo'n grote schok, dat zijn haar recht overeind ging staan. Geschrokken liet hij Davino weer los.

'Respect,' hoorde Maartje hem mompelen. Ze zag dat de grote Smelter, vol bewondering naar Davino keek.

'Ddddat ddddoet pppijn,' klappertandde Davino.

Ruim een uur stopte Davino zo zijn spreuken in het goud. Het trillen werd steeds erger en zijn haar stond overeind. Hij had zijn ogen dicht en langzamerhand werd zijn gezicht eerst grijs en toen lijkbleek. Met zijn hand nog om de scepter geklemd, stortte hij op zijn knieën. Elvira rende naar hem toe. Ze wilde hem overeind helpen, maar toen ze hem aanraakte knetterde de magie.

'Au!' riep ze. 'Dit moet stoppen. Pauli, kun je de knoop niet weer vastmaken en de spreuken laten ophouden?'

Pauli schudde zijn hoofd. Hij wist alleen hoe hij de spreukenknoop moest maken. 'Ik heb niet zo opgelet wat ze er verder bij schreven,' zei hij. 'Dit leek me een leuke spreuk om een grapje mee uit te halen. Daarom ken ik hem ook.'

'Maar Davino kan dit niet volhouden,' riep Elvira in paniek. 'Zo bleek heb ik hem nog nooit gezien. Straks gaat hij dood.'

Vol schrik keken ze naar de bleke Davino die via de scepter nog steeds magie in het goud liet stromen.

'Moeten we niet stoppen met de spreuken in het goud te doen?' vroeg Maartje.

'Nee,' zei Elvira. 'Op deze manier raakt hij de magie tenminste kwijt. We hebben hem teveel hangers laten maken. Het zijn teveel spreuken.'

Zwijgend stonden ze om Davino heen. Langzaam gleed de scepter uit Davino's handen en viel hij opzij. Hij lag bewusteloos op de vloer, maar zijn lichaam bleef schokken.

Davino's offer

'Opzij, ik heb geneesmos,' zei Elvira, terwijl ze zich bezorgd over Davino heen boog.

'Wat ga je ermee doen?' vroeg Pauli.

Besluiteloos stond Elvira ermee in haar hand. 'Dat weet ik eigenlijk niet,' zei ze bedremmeld. 'Ik zag hem omvallen en toen ben ik gaan rennen. Maar het probleem zit van binnen, ik weet eigenlijk niet wat ik daaraan kan doen.'

'Kun je geen papje van het geneesmos maken en hem dat laten drinken?' vroeg Menno. 'Ik moet altijd heel vieze drankjes drinken van mijn moeder als ik ziek ben.'

Elvira schudde haar hoofd. 'Geneesmos mag je niet eten,' zei ze. 'Dan is het giftig.'

'Ik ga de dokter halen,' zei opa Buitenbeen en hij rende naar buiten. Toen hij met de dokter terugkwam, was Davino opgehouden met schokken. De magie was uitgewerkt. Terwijl de Gieter het goud in de mallen goot, onderzocht de dokter Davino.

'Dit ziet er niet best uit,' zei ze. Ze luisterde naar zijn ademhaling en naar zijn hartslag. Na een grondig onderzoek kwam ze tot een schokkende conclusie.

'Hij reageert niet meer op licht of beweging. Hij is bewusteloos. Misschien ligt hij zelfs in een coma.'

'Een coma?' zei Maartje. 'Dat is toch een heel diepe slaap die soms heel lang kan duren en waarbij je niet weet wanneer iemand weer wakker wordt?'

De dokter knikte. 'Ik heb goede medicijnen die hem kunnen helpen genezen. Maar ik weet inderdaad niet wanneer zijn lichaam voldoende hersteld zal zijn om uit de coma te ontwaken.'

De dokter liet Davino naar een kamer in haar huis brengen om hem goed te kunnen verzorgen. Elvira ging met haar mee om over Davino te waken.

De anderen hielpen de Gieter met het maken van de hangers. Het was veel werk. Iedere keer als de Gieter een mal vol had gegoten met goud, moest de mal gekoeld worden met koud water. Daarna kon de hanger uit de mal gehaald worden. Dat ging eigenlijk heel makkelijk. Het goud bleef nooit aan de mal plakken en alle hangers zagen er perfect uit.

'De hangers zijn klaar,' zei de Gieter trots, nadat de laatste hanger uit de mal was gehaald. Hij had alle reden om trots te zijn, want er lagen honderdzeventig prachtige hangers klaar in de smelterij. Bijna alle hangers hadden de afbeelding van Bergmes, een berg met een platte top in een cirkel met negen sterren. Maartje strekte haar hand uit.

'Ik voel en zie de magie die erin zit,' zei ze. 'Volgens mij is het Davino gelukt.'

'Laten we het direct maar even uittesten,' stelde opa Buitenbeen voor. 'De blaasjongens weten nog steeds niet wat er met de tovenaar is gebeurd.' Hij pakt een hanger op, reeg hem op een koord en hing hem om de nek van één van de jongens.

'Ooohh, de Smelter heeft goud gegoten,' zei de jongen geschokt.

'Dat lijkt te werken,' zei Menno tevreden.

'Dan heeft Davino zich tenminste niet voor niets opgeofferd,' zei Maartje zachtjes.

Daar waren ze allemaal stil van.

'Zou dit zijn noodlot zijn?' vroeg Pauli angstig. Hij dacht aan het doodshoofd dat hij zelf had gedraaid en schuifelde ongemakkelijk heen en weer.

'Dat zou kunnen,' zei Maartje. Ze zag dat er vijf hangers apart lagen. Het waren de ontwerpen die zij zo mooi hadden gevonden. Voor Menno een boom, voor Elvira de vogel, voor Maartje de figuren die goed bij haar medaillon pasten. Pauli en Davino hadden niet verteld welke ze mooi vonden, maar de Gieter had er ook voor hen één uitgezocht. Voor Pauli een kroon en voor Davino een opgeheven vuist met een bliksemschicht erin.

'Wat betekent die vuist?' vroeg Maartje.

'Dat is ons symbool voor een held,' zei de Gieter. 'Voor iemand die zich opoffert voor anderen. Die hanger wordt maar heel zelden gemaakt, alleen bij echte heldendaden. Voor mij is het de eerste keer dat ik hem giet. Het was me een eer om dat voor jullie vriend te mogen doen. Ik hoop dat hij vlug weer beter wordt.'

Onder de indruk van de woorden van de Gieter, liepen ze naar het huis van de dokter om Elvira te vertellen dat de hangers klaar waren en dat ze werkten. Davino's hanger namen ze mee, om naast zijn bed te leggen. Die zou hij zien zodra hij wakker werd.

'Wat doen we nu?' vroeg Menno, toen ze even later voor het huis van de dokter stonden te overleggen. 'De hangers zijn klaar. Als Davino in orde zou zijn, zouden we nu op pad gaan.'

'Wat denk je dat Davino zou willen?' zei opa Buitenbeen. 'Hij kan nu niet spreken, maar wat zou hij zeggen als hij dat wel kon?'

'Dan zou hij zeggen dat we door moeten gaan om Alaida te bevrijden,' zei Elvira zachtjes.

'Zullen we dat dan doen?' vroeg Maartje.

'Ik weet het niet,' zei Elvira. 'Het liefst zou ik hier blijven om voor Davino te zorgen.'

'Maar we hebben je nodig,' zei Menno. Maartje en Pauli knikten.

‘Het wordt al heel moeilijk zonder Davino,’ zei Maartje. ‘Ik heb geen idee hoe we die kooi zonder hem open gaan krijgen. Maar als jij ook nog achterblijft, kunnen we succes wel vergeten.’

‘Wij zullen wel voor Davino zorgen,’ zei opa Buitenbeen. ‘Als jullie terugkomen, kunnen jullie Davino weer ophalen.’

Elvira aarzelde.

‘Als er nieuws is, kunnen we jullie een berichtje sturen met mijn schijf,’ zei Tommy.

‘Wat is dat voor een schijf?’ vroeg Menno nieuwsgierig.

‘Het is een prachtige stenen schijf, met een stenen pen,’ vertelde Tommy. ‘We hebben onze boodschap met de pen op de schijf geschreven. Iedere keer dat we dat deden verdween het weer. Ik schreef het eigenlijk maar als een grapje, om het verhaal toch maar ergens kwijt te kunnen.’

‘Is dat de schijf die ik van mijn overgrootmoeder heb gekregen?’ vroeg opa Buitenbeen. Tommy knikte.

‘Ja,’ ging Sam verder. ‘En opeens verscheen er een boodschap op de schijf, zomaar uit het niets.’

‘Dat was mijn berichtje,’ zei Maartje. Sam en Tommy knikten.

‘Ik vroeg me al af waarom het zo’n belangrijk erfstuk was,’ vertelde opa Buitenbeen. ‘Van de schijf is het verhaal helaas verloren gegaan. Maar je kunt er dus berichten mee sturen. Dan moeten er denk ik nog meer van deze schijven zijn. Hoe kun je anders het bericht ontvangen? Behalve dan met mensenapparaten en die hebben we hier niet zo veel.’

Elvira staarde in de verte en leek niet te luisteren naar het verhaal van opa Buitenbeen.

‘Dus met die schijf en Maartjes telefoon kunnen jullie ons vertellen hoe het met Davino gaat,’ zei ze. Iedereen keek weer ernstig en dacht aan de bleke, bewusteloze Davino.

'Dan moeten we toch maar gaan,' zei Elvira bedroefd. 'Hier kan ik niet veel voor hem doen.'

De kinderen liepen naar de kamer van Davino om afscheid van hem te nemen. Elvira kuste Davino op zijn voorhoofd.

'Wordt maar snel weer beter broertje. Ik hou van je,' fluisterde ze in zijn oor. Ze draaide zich abrupt om en Menno zag dat ze vlug een traan wegveegde.

'Tot binnenkort,' zei Menno en hij kneep Davino even in zijn hand. Ook de anderen namen bedroefd afscheid.

'Laten we maar meteen op pad gaan,' zei Elvira. 'Dan zijn we ook vlug weer terug.'

'Maar welke kant op?' zei Pauli.

'Aan alle kanten van Goudstad konden we na ongeveer één kilometer haast niet meer vooruit komen,' zei Tommy. 'Maar aan de kant van de Kronkelbeek begon het al eerder en was het nog veel moeilijker.'

'Ligt er toevallig ook een platte berg in die richting?' vroeg Maartje.

Opa Buitenbeen lachte. 'In elke richting is uiteindelijk een platte berg te vinden. Maar je hebt gelijk. Die kant op liggen er een paar, niet ver hier vandaan.'

'Dan gaan we daar als eerste kijken,' zei Menno. 'Hartelijk dank voor al jullie hulp.'

Ze gingen op weg. Tommy, Sam, opa Buitenbeen, de Smelter en alle blaasjongens zwaaiden hen na tot ze uit het zicht waren verdwenen.

Het lopen ging nu veel gemakkelijker dan op de heenweg. Ze hadden negenenveertig hangers bij zich, terwijl ze er zelf eigenlijk maar vier nodig hadden. Maartje voelde zich er schuldig over.

‘Hadden we maar niet zoveel hangers willen hebben,’ zuchtte ze. ‘Dan was Davino nu nog bij ons geweest. Straks hebben we die dingen niet eens nodig.’

‘Ik weet zeker dat we ze nodig gaan hebben,’ stelde Menno haar gerust. ‘Davino heeft zich niet voor niets opgeofferd. Bovendien, de dokter zei dat alles weer goed zou komen. Hij ontwaakt vast heel snel uit zijn coma.’

Maartje probeerde te glimlachen, maar het ging niet van harte. Het bleef aan haar knagen, dat ze misschien te hebberig waren geweest en zo Davino onnodig in gevaar hadden gebracht.

‘Laten we in ieder geval zorgen dat we met de hangers Alaida bevrijden,’ zei Pauli vastberaden.

Daar had Pauli gelijk in. Verdrietig rondlopen terwijl ze zo’n belangrijke taak hadden, was natuurlijk geen goed idee. Maartje rechtte haar schouders en liep weer wat harder, vastbesloten om Alaida zo snel mogelijk te bevrijden. De tocht viel erg mee en na een stevige wandeling, kwamen ze bij de rand van het bos. Ze keken uit over een grasvlakte die naar de voet van een berg leidde. Aarzelend keken ze omhoog, om te kijken of dit inderdaad de goede berg was, want links en rechts stonden nog twee vergelijkbare bergen.

‘Hoe komen we erachter welke berg het is?’ vroeg Maartje. ‘Ik heb al naar de wolken gekeken, maar daar zie ik alleen grotten. Dus dat helpt niet.’

‘Ik denk dat het de rechter berg is,’ zei Menno.

‘Waarom?’ vroeg Pauli.

‘Daar zie ik een karrenspoor dat diepe groeven in het pad heeft achtergelaten,’ zei Menno. ‘De tovenaar heeft de gouden tralies op een kar vervoerd en goud is zwaar.’

Maartje schudde lachend haar hoofd. Dat ze dat niet had gezien! Zo zie je maar, je moet ook niet te veel naar de wolken kijken, dacht ze. Met je hoofd in de wolken, zie je de aanwijzingen op de grond niet.

Ze beklommen de rechter berg. De diepe sporen gingen inderdaad helemaal de berg op.

'Dit is nog eens een duidelijke wegwijzer,' grapte Pauli. Maar daarna waren ze stil. Ze herinnerden zich dat Maartje in de wolken ook een Zwerulaar had gezien. Waar zou die nu zijn?

'Zwerulaars slapen overdag,' fluisterde Elvira.

'Ja, ze kunnen niet tegen zonlicht,' fluisterde Maartje terug. 'We hoeven pas vanavond voorzichtig te zijn.'

'We zijn bijna bij het plateau, zal ik vooruit kruipen om dat te verkennen?' vroeg Menno. 'Jullie kunnen dan hier in deze grot wachten.' Hij wees op een ruime grot aan de linkerkant van het pad, waar ze net onder de rand van het plateau konden schuilen.

'Wat als de Zwerulaar daar slaapt,' zei Elvira. 'Dan maken we hem wakker.'

'Daar had ik niet aan gedacht,' zei Menno. 'Laten we eerst de grot verkennen.' Voorzichtig keek hij om de hoek de grot in. Het was een grote ruimte met achterin een deel dat te donker was om van buiten te zien.

'We moeten naar binnen om te verkennen,' fluisterde Menno.

'Ik ga wel,' zei Pauli. Zonder veel angst liep hij naar binnen. 'Geen Zwerulaar te zien hoor!' riep hij van achter uit de grot.

'Dat was heel onvoorzichtig, Pauli,' zei Elvira. 'Wat als er wel een Zwerulaar had gezeten?'

'Ach, maak je niet zo druk,' zei Pauli. Aan zijn stem konden ze horen dat hij ze maar angsthazen vond.

Terwijl de anderen in de grot bleven wachten, sloop Menno voorzichtig naar de rand van de platte top van de berg en keek op het plateau. Ongeveer honderd meter van hem vandaan stond inderdaad een grote gouden kooi. Het zonlicht scheen op het goud en verblindde hem bijna. Hij tuurde door zijn oogharen, maar kon niet goed zien of Alaida in de kooi zat. Aan de andere kant van het plateau was het een drukte van belang. Het leek wel een soort tovenaarsdorp. Er stonden vier huisjes en hij zag wel acht tovenaars rondlopen. Die liepen de hele tijd onrustig heen en weer tussen de huisjes en de kooi. Wat is daar toch aan de hand? Hij sloop terug naar de anderen om verslag te doen. Ze besloten te wachten, want zelfs met al die hangers, waren acht tovenaars niet te verslaan.

Na een tijdje werd het schemerig op de berg en Menno keek weer over de rand. Dit keer hadden de anderen genoeg van het wachten en keken ze ook. De tovenaars gingen eten klaarmaken en ze zagen één van hen met een bord naar de kooi lopen. Er zit in ieder geval iemand gevangen, dacht Menno. Hopelijk is dat Alaida, dan hebben we haar gevonden.

Niet lang daarna gingen alle tovenaars naar binnen. Niemand bleef buiten achter. Ze kwamen er al gauw achter waarom. In de verte hoorden ze de zangerige stem van een Zwerulaar.

'Ik moet hier waken, maar wil weg. De rand houdt mij gebonden.

De vallei was fijn, ik wil weer terug. Mijn vrijheid is geschonden.'

De Zwerulaar begon jammerend te neuriën en Menno voelde zich helemaal treurig worden. Ze kropen voorzichtig terug naar de grot om te overleggen.

‘Dus ’s avonds is er alleen een Zwerulaar en overdag stikt het van de tovenaars,’ vatte Maartje de situatie samen.

‘De kooi wordt heel goed bewaakt,’ zei Pauli. ‘Ik heb geen idee hoe we er dicht genoeg bij kunnen komen om Alaida te bevrijden.’

‘We moeten óf de tovenaars óf de Zwerulaar om de tuin leiden,’ zei Elvira praktisch. ‘Wat hebben we bij ons waarmee we dat kunnen doen?’

Ze keerden hun rugzakken om. Naast eten en drinken lag er geneesmos, de vijfenveertig magische reserve hangers, Elvira’s fluit, Maartjes boek en telefoon, Menno’s doos, een zakmes, een spiegeltje, touw, pleisters, zakdoekjes, een doosje pillen om Menno’s gave te onderdrukken, een potje zalf van de gildemeester van de meubelmakers om de boom van Menno’s been te halen als dat nodig was en nog een paar handige dingen voor op reis.

Elvira keek naar het allegaartje aan spullen en zuchtte.

‘Kop op, Elvira,’ zei Pauli. ‘Hier kunnen we vast wel iets mee.’ Hij keek naar de fluit. ‘Zal ik proberen om weer een slaapliedje te fluiten? Dat werkte goed bij de slurfmuzikanten.’

Elvira aarzelde. ‘Een Zwerulaar is wel heel veel groter dan een slurfmuzikantje,’ zei ze.

‘Als het misgaat, is hij ook veel gevaarlijker,’ zei Maartje.

‘Ach,’ zei Pauli, ‘zo erg kan het toch niet zijn?’

‘Ik ben nu twee keer een Zwerulaar tegengekomen,’ zei Menno. ‘Geloof me, dat zijn de gevaarlijkste wezens die ik ken. Ze zijn zo snel als de wind en dodelijk.’

‘Maar als je er al twee bent tegengekomen, dan kan het nooit heel erg zijn,’ protesteerde Pauli. ‘Anders was je hier toch niet meer geweest?’

‘We hebben heel veel geluk gehad,’ zei Maartje. ‘De eerste keer konden we wegvluchten omdat hij niet tegen zonlicht kan. Maar toen de zon onderging, had hij ons zo ingehaald. Alleen omdat Davino toen een magische kaart liet vallen, konden we wegkomen. Ze zijn gek op magische voorwerpen, die verzamelen ze. Dus toen pakte hij de kaart en ging hij terug naar zijn boom om hem bij al zijn andere magische spullen te hangen.’

‘En de tweede keer?’ vroeg Pauli nieuwsgierig.

‘Toen zat de Zwerulaar in een deur,’ zei Elvira.

Huh? In een deur?’ zei Pauli verbaasd. ‘Hoe bedoel je?’

‘Het was een prachtige houten deur met allemaal gevaarlijke wezens erop,’ vertelde Elvira. ‘Die waren uitgesneden in het hout. Toen deden we iets fout en kwamen ze tot leven. De Zwerulaar raakte met zijn tentakel even mijn arm aan. Kijk, hier zie je het litteken nog steeds. Zelfs met geneesmos, geneest het niet helemaal.’

‘Hoe kan dat dan?’ vroeg Pauli.

‘Er zit een gif in zijn tentakels, waardoor je vlees wegsmelt,’ zei Menno.

Pauli trok wit weg. ‘Hmmm, misschien is het toch niet zo’n goed idee als ik op die fluit blaas,’ zei hij zacht. ‘Gezien het doodshoofd in mijn toekomst en zo.’

‘Ik vind het juist een goed idee,’ zei Menno. ‘De Zwerulaar zei dat de rand hem gebonden hield. Dat is vast de rand van het plateau. Dus als je daar voorbij gaat zitten, dan kan hij niet bij je komen.’

Pauli schudde vertwijfeld zijn hoofd. ‘Elvira, het is jouw fluit,’ piepte hij angstig. ‘Kun jij het niet doen?’

‘Ik weet niet of mijn liedjes net zo goed werken als jouw slaapliedjes,’ zei ze. ‘Maar ik wil het best doen. Ik zal het geneesmos alvast in mijn zak steken, voor de zekerheid. Dat moeten jullie ook maar doen.'

Ze pakten allemaal een pluk geneesmos en stopten het in hun zak. Maartje moest even slikken. Tot nu toe waren ze nog nooit bewust het gevecht met een gevaarlijk magisch wezen aangegaan. Door deze voorbereiding realiseerde ze zich hoe gevaarlijk hun plan was.

'Kunnen we echt geen andere manier verzinnen om Alaida te bevrijden?' vroeg ze. 'We hebben toch bescherming tegen de tovenaars.'

'Tegen het effect van hun spreuken,' zei Menno. 'Maar helaas niet tegen hun gewone vechtkracht. Er zijn wel acht grote volwassen tovenaars. Die kunnen we met ons vieren niet verslaan. Zelfs niet als hun toverspreuken ons niets doen.'

'Kunnen we de tovenaars niet in slaap fluiten?' bedacht Pauli.

'Dat werkt nooit,' zei Maartje. 'Wij vielen toch ook niet in slaap? Ik denk dat we enorm veel geluk hadden dat het bij de slurfmuzikanten zo werkte.'

Opeens hoorden ze het trieste neuriën van de Zwerulaar dichterbij komen. Hij kwam recht op hen af.

'Ik voel magie, ik voel magie, och had ik maar een boom,' zong de Zwerulaar.

'Hij voelt de hangers,' zei Maartje. 'We lokken hem per ongeluk naar ons toe.'

Ze hoorden een windvlaag boven de grot. Ze keken om de hoek van de grot. Net boven de rand van het plateau zweefde de Zwerulaar. Langzaam strekte hij een tentakel naar hen uit.

Elvira greep de fluit uit de stapel voor haar op de grond en begon zenuwachtig te fluiten. In haar haast floot ze verschrikkelijk vals. De Zwerulaar siste boos en deed een snelle aanval.

Knal

SSSSSShhhh

'Wat gebeurt er?' riep Maartje. 'Wat was dat voor lichtflits?'

'Hè?' zei Menno. Door de enorme knal hoorde hij even alleen gesuis. Hij schudde zijn hoofd en keek naar de Zwerulaar. Die danste woedend in het rond, maar bleef op een veilige afstand van de rand van het plateau.

Toen Menno weer een beetje kon horen, hoorde hij de Zwerulaar. Die jammerde luidkeels. Eén van zijn tentakels was een stuk kleiner geworden. Hij had duidelijk heel veel pijn.

'Ach,' zei Elvira medelijdend, 'heb je pijn? Hier heb je wat geneesmos.' Ze liep naar de rand van het plateau en gooide wat geneesmos naar de Zwerulaar. Nog net op tijd kon ze haar hand terugtrekken, want door die beweging was ze vlak bij de Zwerulaar gekomen. De Zwerulaar sloeg blind met zijn tentakels naar alles wat bij hem in de buurt kwam. Bijna sloeg hij het geneesmos weer uit de cirkel.

'Het is geneesmos,' schreeuwde Menno. 'Dat haalt de pijn weg.'

Even leek het of de Zwerulaar niet naar hem luisterde, maar toen kreeg hij het geneesmos in de gaten. Met een sterke windvlaag zweefde hij ernaartoe en drukte zijn gewonde tentakel tegen het geneesmos. Het jammeren hield op. Een heerlijke stilte viel over hen heen. Pas toen hadden ze door hoe indringend en vervelend het gejammer van de Zwerulaar was geweest.

'Zij helpen mij, zij helpen mij, dat is onverwacht,' zong de Zwerulaar.

'Gaat het weer?' vroeg Elvira.

De Zwerulaar keek haar even aan en leek te knikken.

'Het gaat, het gaat, wat komen jullie doen?' antwoordde de Zwerulaar.

Elvira aarzelde even voor ze antwoord gaf. Misschien was het niet zo'n goed idee om de bewaker van Alaida te vertellen wat je komt doen.

'Ik weet het al, ik weet het al, bevrijden is het doel,' zong de Zwerulaar.

'Ja, eigenlijk wel,' zei Menno aarzelend.

‘Dat is niet goed, dat is niet goed, dan maken ze me dood,’ neuriede de Zwerulaar jammerend.

‘Niet weer jammeren,’ smeekte Pauli. De Zwerulaar hield gelukkig op.

‘Wat is hier gaande?’ hoorden ze een zware stem bulderen. De Zwerulaar schoot bij ze vandaan, naar de plek waar de brullende tovenaar stond.

‘Laat me vrij, laat me vrij, ik heb je niets gedaan,’ jammerde de Zwerulaar.

‘Aargh, hou op met je gejammer,’ kreunde de tovenaar. De Zwerulaar jammerde nog harder. De tovenaar sloeg zijn handen voor zijn oren en rende terug naar de huisjes. Hij keek nog één keer om zich heen en verdween toen naar binnen.

‘Rot Zwerulaar,’ hoorden ze hem nog zeggen. ‘Wie verzonnen heeft dat we daarmee moeten werken, zou gestraft moeten worden.’

‘Dank je wel dat je ons niet hebt verraden,’ zei Elvira.

‘Niet bevrijden, niet bevrijden, beloof me dat toch nu,’ zong de Zwerulaar, die weer binnen één seconde terug was gezweefd van de andere kant van het plateau.

Ik was vergeten hoe vlug ze zijn, dacht Menno. Zolang die Zwerulaar om de kooi zweeft, kunnen we Alaida niet bevrijden. Zelfs niet als we hem aan de ene kant afleiden en dan aan de andere kant naar de kooi sluipen. Zodra hij iets hoort, is hij aan de andere kant.

‘Er zit niets anders op,’ zei hij hardop. ‘We moeten jou ook bevrijden.’

Pauli keek hem verschrikt aan. ‘Is dat niet gevaarlijk?’ vroeg hij bezorgd. Sinds hij het doodshoofd had gedraaid was hij veel voorzichtiger geworden.

‘Mijn vrienden zijn mijn vrienden, die lopen geen gevaar,’ zong de Zwerulaar.

‘Mooie woorden,’ zei Pauli. ‘Maar hoe weten we dat zeker?’

‘Ik beloof het, ik beloof het. Ik zweer het op mijn boom.’

‘Betekent dat iets?’ vroeg Maartje. ‘Dat hij op zijn boom zweert?’

‘Ik weet het niet,’ zuchtte Elvira. ‘Davino weet dat soort dingen altijd.’

‘Als we hem bevrijden en hij houdt zich niet aan zijn belofte, dan zijn we er geweest,’ zei Menno.

Maartje knikte. Menno had gelijk.

‘Dit lijkt me dan geen goed plan,’ zei Pauli.

‘Wat wil je dan doen?’ vroeg Menno.

Pauli haalde zijn schouders op.

‘Het enige andere dat we kunnen doen, is teruggaan naar Mystica en zeggen dat we gefaald hebben,’ zei Elvira. ‘Wil je dat dan doen?’

Pauli schudde zijn hoofd. ‘Je hebt gelijk,’ zei hij dapper. ‘De toekomst van Mystica hangt ervan af, dus eigenlijk hebben we geen keus.’ Hij keek naar Maartje en Menno.

‘Tenminste, ik heb dan geen keus,’ zei hij. ‘Maar jullie wel. Dit is al de tweede keer dat jullie je leven riskeren voor Mystica. Weten jullie zeker dat jullie dat willen doen?’

Maartje en Menno keken elkaar even aan. Maartje was verbaasd dat Pauli dat door had. Dan was hij toch minder op zichzelf gericht dan ze had gedacht. Menno veegde het angstzweet van zijn voorhoofd en rechtte zijn schouders. ‘Wij laten jullie niet in de steek, toch Maartje?’ Maartje knikte.

‘Vooruit dan maar,’ zei Pauli.

Het besluit was genomen. Ze gingen de Zwerulaar bevrijden.

De gouden kooi

‘Oké,’ zei Menno, ‘ik stap nu op het plateau. Beloof je dat je me niet aanvalt?’

‘Dat lukt je niet, dat lukt je niet, de cirkel is te sterk,’ waarschuwde de Zwerulaar.

‘Ik ga het toch proberen,’ zei Menno. ‘Als je belooft dat je niet aanvalt.’

‘Beloofd, beloofd, maar het lukt je zeker niet,’ antwoordde de Zwerulaar.

‘Waarom denk je dat we niet op het plateau kunnen komen?’ vroeg Maartje. ‘Houdt de cirkel die je binnenhoudt, ons ook buiten?’

‘Inderdaad, inderdaad, dat deed het met de dieren,’ vertelde de Zwerulaar.

‘Maar wij hebben een hanger,’ zei Menno. Hij keek even aarzelend naar de Zwerulaar en haalde diep adem. Nu of nooit, dacht hij en hij zette een voet op het plateau, binnen het bereik van de Zwerulaar.

Knal

‘Au!’ Menno’s voet werd teruggekaatst, maar de knal en de lichtflits waren minder hard en fel dan toen de Zwerulaar de cirkel aanraakte.

‘De hanger is niet sterk genoeg,’ zei Maartje. ‘Misschien heb je er meer nodig.’

‘We kunnen het in ieder geval proberen,’ zei Menno. Hij pakte een paar hangers uit zijn rugzak en hing ze om zijn nek. Opa Buitenbeen had elke hanger aan een mooi zwart touw geregen. Dat kwam nu mooi van pas. Menno probeerde het nog een keer.

Plof

De knal was nu een plof en de lichtflits had de sterkte van een vlammetje. Menno kon zijn voet nu op het plateau houden, maar het kostte nog erg veel kracht.

'Nog maar een paar dan,' zei Pauli enthousiast. 'Het lijkt wel te helpen.' Hij gaf Menno nog drie hangers. Menno had er nu zeven omgehangen. Hij probeerde door de cirkel te stappen. Zonder knal stapte hij vlot de cirkel binnen.

'Zeven is het geluksnummer,' zei hij enthousiast.

'Het kan dus wel, het kan dus wel, geef mij die hangers maar,' zong de Zwerulaar.

'Eerst Alaida bevrijden,' zei Elvira, terwijl ze de cirkel in stapte. Met zeven hangers had ook zij geen enkel probleem om de cirkel binnen te komen.

'Nee nu, nee nu, laat me nu toch gaan,' zei de Zwerulaar boos. Dreigend kwam hij op Elvira afgezweefd.

'Prima idee,' zei Menno snel. Als we ze niet geven pakt hij ze af en dan zijn we nog verder van huis, dacht hij bij zichzelf. 'Pauli, wil je mij zeven hangers geven?'

'Dus je zweert op je boom dat je ons niet zult aanvallen?' vroeg Elvira nog een keer.

'Ja, ja! Ja, ja! Ik zweer het op mijn boom,' zong de Zwerulaar ongeduldig. Menno legde de hangers voor de Zwerulaar op de grond en deed haastig een stapje achteruit. De Zwerulaar zweefde ernaartoe en pakte ze op. Tenminste, de hangers leken vlak bij zijn tentakels te zweven, maar ze niet aan te raken.

Hoe doet hij dat? vroeg Menno zich af.

'Sterke magie, sterke magie, het offer dat was groot,' zong de Zwerulaar waarderend.

'Hoe weet hij dat?' vroeg Elvira. Maar de Zwerulaar antwoordde niet meer. Hij zweefde op de cirkel af en probeerde voorzichtig met één tentakel of hij erdoor kon. Er klonk geen knal en ook de lichtflits bleef uit. Gerustgesteld zweefde de Zwerulaar voorbij de cirkel. Binnen een paar seconden was hij, met de hangers, uit het zicht verdwenen.

'Hé!' riep Maartje. 'Die hangers hebben we nog nodig.'

'Het is te laat,' zei Elvira. 'Die zien we natuurlijk nooit meer terug.'

'Kom op,' zei Menno. 'We hebben geen tijd te verliezen. Straks komt de zon op en bewaken de tovenaars de kooi weer. We moeten Alaida nu bevrijden, het is onze enige kans.'

Ze renden naar het midden van het plateau, waar de gouden kooi op hen stond te wachten. In het midden van de kooi lag iemand onder een deken te slapen.

'Ze heeft haast geen schaduw meer,' fluisterde Elvira bezorgd.

'Alaida, Alaida,' riep Menno. 'Ben jij dat?'

De hoop dekens bewoog en langzaam kwam het hoofd van Alaida tevoorschijn. Ze zag er verschrikkelijk uit. Haar gezicht was grauw en in plaats van haar anders zo keurige knotje, stond haar haar alle kanten op. Ze was sterk vermagerd en haar ogen stonden dof. Maar toen ze zag wie er bij haar kooi stonden, verscheen er een glimlach om haar mond.

'Ik had het kunnen weten,' zei ze met krakende stem. 'Maartje, Menno, Elvira en Davino. Koningin Tansia had het goed bekeken.'

'Niet Davino, Alaida,' zei Elvira verdrietig. 'Davino ligt in een coma. Dit is Pauli, de kroonprins.'

Alaida keek geschokt. 'Dus jullie reizen met zijn vieren?' vroeg ze.

‘Eerst met zijn vijven,’ antwoordde Maartje. ‘Maar Davino heeft magie in deze hangers gedaan en toen is hij in een coma geraakt.’

‘Als vijf geen vijf meer zijn maar vier,’ mompelde Alaida.

‘Ze is in de war,’ fluisterde Pauli. ‘Ze kraamt allemaal onzin uit.’

‘Ze is verzwakt door die tovenaarsmagie in de tralies,’ zei Elvira. ‘We moeten haar met spoed uit die kooi krijgen.’

Ze liepen om de kooi heen, op zoek naar een deur. Alle tralies leken hetzelfde.

‘Hoe kunnen we die kooi nu open krijgen?’ zei Pauli geïrriteerd. ‘We moeten wel genoeg tijd overhouden om met Alaida te vluchten voor de tovenaars doorhebben dat de Zwerulaar weg is en de kooi leeg.’

Met een bezorgde blik op Alaida, zei Maartje: ‘Het lijkt erop dat we haar moeten dragen.’

‘Denk aan de voorspelling,’ fluisterde Alaida krakend.

Die waarschuwing had haar blijkbaar haar laatste kracht gekost, want ze stortte weer op de deken en bewoog niet meer.

‘Zou ze nog leven?’ vroeg Maartje bezorgd.

Menno liep om de kooi heen en bekeek Alaida van alle kanten.

‘Ik zie haar, geloof ik, nog ademhalen,’ zei hij aarzelend.

‘Geen tijd te verliezen,’ zei Elvira. ‘Wat denk je dat ze bedoelde met “Denk aan de voorspelling”?’

‘De voorspelling van koningin Tansia natuurlijk,’ zei Maartje.

‘Ja, dat weet ik ook wel,’ zei Elvira een beetje kattig. ‘Ik bedoel welk gedeelte.’

‘Hoe ging het ook weer precies?’ vroeg Pauli.

‘Dat weet ik niet helemaal,’ zei Menno. ‘Davino weet dat.’

‘Er stond in ieder geval: “Als vijf geen vijf meer zijn maar vier”,’ zei Elvira. ‘Dat zei Alaida net ook al.’ Ze keek Pauli streng aan. ‘Dat was dus geen onzin wat ze zei hoor Pauli.’

‘Wij zijn nu met vier in plaats van vijf omdat Davino er niet meer is,’ zei Menno. ‘Dat klopt met de voorspelling. Dan moeten wij het dus voor elkaar krijgen.’

‘Maar hoe?’ vroeg Pauli. ‘Wat stond er nog meer?’

‘Ik weet nog: “De sleutels zijn de sleutel, vergeet dat niet ontwaak” of zo iets,’ herinnerde Maartje zich.

‘Natuurlijk, de sleutels,’ zei Menno. ‘Daar hadden we het nog met Davino over. Hij vond het zo raar dat we alleen maar één sleutel hadden gebruikt de vorige keer, terwijl de voorspelling het over sleutels heeft.’

‘Welke sleutel heb je vorige keer dan gebruikt?’ vroeg Pauli.

‘Dat was een sleutel die verborgen zat in een armband van je vader,’ antwoordde Menno. ‘Maar die hebben we nu helaas niet bij ons.’

‘Zou mijn medaillon nu wel werken?’ vroeg Maartje. Van onder haar T-shirt haalde ze het medaillon tevoorschijn dat ze van haar vader had gekregen toen ze elf jaar werd.

‘Is dat een sleutel?’ vroeg Pauli.

‘We denken van wel,’ zei Maartje. ‘Het lijkt erg op die armband. Maar de vorige keer in de tovenaarsgrot, paste het niet.’

‘Wat moet je dan met het medaillon doen?’ vroeg Pauli, die het nog steeds niet helemaal begreep.

‘Vorige keer was er een ruwe plek in de rotswand,’ zei Menno. ‘Daar moesten we de sleutel tegenaan houden.’ Hij ging direct op zoek naar een ruwe plek op de tralies van de kooi.

‘Opschieten,’ fluisterde Elvira.

‘Help dan mee zoeken,’ siste Menno haar toe.

Alle vier liepen ze om de kooi en zochten naar de sleutelplek. Ze waren de hele kooi rond geweest, maar konden niets vinden.

‘We kijken te laag,’ realiseerde Menno zich opeens. ‘Wij zijn kleiner dan de tovenaars. De vorige keer zat die ruwe plek ook hoog.’

Ze liepen nog een keer om de kooi.

‘Ik heb hem,’ riep Pauli. ‘Tenminste, dat denk ik. Is dit hem?’

Menno rende naar hem toe. ‘Dat lijkt er wel op. Wat denken jullie?’

‘Dat is het,’ zei Maartje. ‘Maar er zit extra magie op.’

‘Wat bedoel je met extra magie?’ vroeg Menno.

‘Maartje heeft gelijk,’ zei Elvira. ‘Het is moeilijk te zien omdat de hele kooi onder de magie zit, maar boven die sleutelplek zie ik nog iets extra schitteren. Bedoel jij dat ook, Maartje?’

Maartje knikte. ‘Pauli, weet jij toevallig ook hoe je zichtbaar maakt wat de magie boven een deur betekent?’ vroeg ze.

‘Nee, sorry,’ zei Pauli. ‘Ik was wel vaak in de bibliotheek, maar daar keek ik eigenlijk alleen naar de plaatjes.’ Hij keek verlegen naar zijn schoenen.

Doing

Doing

‘Wat is dat?’ vroeg Maartje geschrokken.

‘Dat is denk ik de wekker van de tovenaars,’ zei Menno. ‘Misschien kijken ze rond middernacht nog een keer bij de Zwerulaar. We moeten de kooi openmaken.’

‘Maar we weten niet welke magie erop zit,’ zei Elvira bezorgd. ‘De vorige keer dat we het verkeerd deden, kwam die deur met monsters tot leven.’

‘Alaida zei dat we op de voorspelling moesten letten,’ zei Maartje. ‘Bovendien hebben we maar één sleutel. Zouden we het met zijn vieren moeten doen? Ze zei duidelijk: “Als vijf geen vijf meer zijn maar vier”.’

‘Laten we het maar proberen,’ zei Menno.

Ze pakten alle vier Maartjes medaillon vast en duwden hem tegen de sleutelplek. De versiering van het medaillon leek te verschuiven.

‘Het lukt,’ zei Menno.

De kooi sidderde. Langzaam zagen ze een deur verschijnen.

‘Hoera,’ riep Pauli en hij liet het medaillon los.

Maartje, Menno en Elvira hielden het medaillon nog tegen de sleutelplek, maar dat was blijkbaar niet voldoende. De deur begon langzaam te verdwijnen. Maartje greep de tralies van de deur vast en probeerde hem open te trekken. Weer sidderde de kooi. Het sidderen werd trillen, het trillen werd schudden.

‘Vast blijven houden,’ schreeuwde Menno naar Pauli. Die deed een sprong naar voren en probeerde het medaillon weer vast te pakken. Te laat, hij kreeg hem niet meer te pakken! De kooi hield op met schudden en begon te draaien, steeds sneller. Het draaien ging zo snel dat Elvira en Menno weggeslingerd werden en het medaillon los moesten laten. Alleen Maartje hield het medaillon nog met één hand op de sleutelplek. Met de andere hand bleef ze de tralies van de deur vasthouden.

Het draaien werd tollen! De kooi leek zich in de grond te boren. Met een duizelingwekkende vaart tolde de kooi omlaag en verdween in de grond.

'Maartje, pas op!' schreeuwde Menno.

Toen werd het stil. Met open mond staarden ze naar de plek waar de kooi had gestaan. Er was niets, helemaal niets. Het was weer een egale grasvlakte. Nergens was aan te zien dat er ooit een kooi was geweest.

'Alaida,' kreunde Elvira.

'Maartje is verdwenen,' stamelde Menno geschrokken.

'Wat?' zei Elvira. 'Hoe bedoel je?' Ze keek om zich heen om Maartje te vinden, maar zag alleen Pauli en Menno. Pauli stond hoofdschuddend te staren en Menno kon van schrik bijna geen adem meer halen.

'Wat gebeurt daar?' riep een tovenaar vanuit de huisjes. Ze hoorden in de verte een deur opengaan.

'We moeten hier weg,' zei Elvira. 'Rennen, voor ze ons zien.' Ze pakte de twee jongens bij de hand en sleurde ze naar de rand van het plateau. Menno begreep dat ze in groot gevaar waren en rende zo hard hij kon. Net toen ze over de rand wilde springen hoorden ze een vrouwenstem.

'Waar is de kooi?' vroeg ze verbouwereerd.

Plotseling stopte Pauli, vlak voor de rand stond hij stil en draaide zich om. 'Mama?' fluisterde hij.

Elvira zag dat Pauli zich had omgedraaid en op het punt stond terug te lopen. 'Waar ben je mee bezig?' siste ze. 'Straks nemen ze je gevangen.' Ze trok hard aan Pauli's arm. Die verloor zijn evenwicht en stuiterde over de rand van het plateau, een stuk van de berg af. Met een klap kwam hij tot stilstand, met zijn hoofd tegen een grote steen. Hij bleef roerloos liggen.

'Menno, help!' fluisterde Elvira.

Menno had alles gezien en rende naar de plek waar Pauli nog steeds roerloos lag.

'Wat gebeurde er? Waarom viel hij?' vroeg hij geschrokken.

'Ik weet niet wat hem bezielde,' zei Elvira. 'Hij wilde teruglopen naar de tovenaars. Ik heb hem tegengehouden en toen verloor hij zijn evenwicht.'

'Waarom wilde hij terug?' vroeg Menno.

'Ik weet het niet,' zei Elvira. 'Hij mompelde iets en toen keerde hij om.'

Menno keek omhoog naar de rand van het plateau.

'Hier zijn we niet veilig,' zei hij. 'Als ze over de rand kijken kunnen ze ons zien. We moeten terug naar de grot.'

Elvira knikte. Samen sleepten ze Pauli naar hun schuilplaats van de vorige nacht.

'We horen wel wat er aan de hand is als hij wakker wordt,' zei Menno.

'Nu moeten we wel hier blijven tot de tovenaars weg zijn,' fluisterde Elvira.

'Helemaal niet!' zei Menno. 'Ik ga kijken. Ik moet weten wat er met Maartje is gebeurd. Misschien is ze door het getol van de kooi van het plateau af geslingerd en ligt ze, net als Pauli, ergens buitenwesten.'

'Maar de tovenaars dan?' vroeg Elvira.

‘Wat kunnen mij die tovenaars schelen,’ zei Menno. ‘Maartje is misschien gewond. Ik ga haar zoeken!’

Verslagen en angstig bleef Elvira achter in de grot naast de roerloze Pauli. Het duurde niet lang of Menno kwam terugrennen.

‘Het is niet te geloven,’ riep hij. ‘Alles is verdwenen. Het lijkt net of hier nooit tovenaars zijn geweest. Kom, help me om Maartje te zoeken.’

Ze zochten alles af. Iedere holte, grot en spelonk waar Maartje terecht had kunnen komen. Maar Maartje bleef spoorloos.

‘Waar kan ze toch zijn?’ vroeg Menno.

Elvira staarde naar de plek waar de kooi had gestaan. ‘Als ze hier niet meer is, is er, denk ik, maar één verklaring,’ zei ze zacht.

Ook Menno staarde naar de plek. In gedachten zag hij voor zich hoe Maartje de tralies van de deur had vastgegrepen toen de kooi begon te draaien. Menno kon zich wel voor zijn hoofd slaan dat hij toen het medaillon had losgelaten en niet ook de tralies had vastgegrepen.

‘Als ik niet had losgelaten, was ze hier misschien nog geweest,’ zei hij verdrietig. Wat voelde hij zich schuldig!

‘Of dan waren jullie allebei met de kooi verdwenen,’ zei Elvira nuchter. ‘Nu kunnen we samen proberen haar weer te bevrijden.’

‘Hoe bedoel je bevrijden?’ zei Menno.

‘Ik denk dat ze met de kooi en Alaida is weggetoverd door de tovenaars,’ zei Elvira. ‘Waarschijnlijk is zij nu ook gevangen.’

Menno knikte. ‘Gek genoeg, hoop ik nu dat de tovenaars Maartje gepakt hebben. Ik moet er niet aan denken dat ze door het tollen van de kooi is meegesleurd onder de grond en daar ergens gewond ligt, of nog erger….’ Abrupt draaide hij zich om en veegde verwoed over zijn ogen. Hij wilde niet dat Elvira hem zag huilen.

'En dat allemaal door die prutser van een Pauli,' zei Menno opeens boos. 'Ik hoop dat hij gauw weer wakker wordt. Dan kan hij mooi vertellen waarom hij het medaillon te vroeg losliet!'

'Wat?' riep Elvira. 'Liet Pauli het medaillon los? Dat heb ik helemaal niet gevoeld.'

'Dat komt omdat hij op mijn handen drukte en zo met het medaillon verbonden was,' legde Menno uit.

'Dus het lag aan Pauli,' zei Elvira. Ze liep boos naar hun schuilplaats en wilde hem eens flink de waarheid zeggen, maar Pauli lag nog steeds als een dweil op de grond.

'Waarom laten we hem hier niet achter,' stelde ze even later voor. 'Hij brengt niets dan ongeluk.'

'Over wie hebben jullie het?' zei Pauli versuft.

Elvira gaf geen antwoord maar staarde hem nijdig aan.

'Over mij?' vroeg Pauli geschokt. 'Maar waarom dan? Ik heb toch goed meegeholpen met alles? We hadden de kooi toch bijna open?'

'Waarom liet je los?' vroeg Menno dreigend.

Pauli keek verbaasd. 'Er was toch al een deur? We waren toch klaar?'

Menno kreunde. Pauli had niet expres tegengewerkt. Hij was gewoon, nog steeds, te ongeduldig.

'Leer nu eens tot tien te tellen man!' riep Menno gefrustreerd. 'Door jou is die kooi in de grond verdwenen.'

'Echt niet,' protesteerde Pauli.

'Waardoor kwam het dan wel?' vroeg Elvira.

Pauli dacht even na. 'Ik weet het niet,' zei hij ten slotte. 'Misschien omdat jullie hem te lang vasthielden?'

Daar konden ze niets op zeggen. Ze wisten niet waardoor het was gekomen. Dat kon net zo goed de reden zijn.

‘Waarom wilde je eigenlijk terug naar de tovenaars?’ vroeg Menno. ‘Je mompelde iets en toen draaide je je om. Wat was er?’

Pauli sprong op en rende naar buiten.

‘Wat is er?’ vroeg Elvira. Pauli antwoordde niet en rende terug naar het plateau. Menno en Elvira snelden hem achterna. Pauli holde over het plateau, langs de plek waar de kooi had gestaan, naar waar de huisjes van de tovenaars waren geweest. Hijgend kwamen Elvira en Menno naast Pauli tot stilstand.

‘Ze zijn verdwenen,’ zei Pauli. Hij klonk heel triest en langzaam liep er een traan over zijn wang.

‘Waarom vind je dat erg?’ vroeg Menno.

‘Ik hoorde de stem van mijn moeder,’ zei Pauli.

‘Maar die is toch dood?’ zei Menno. ‘Dat heb je me zelf gezegd.’

‘Dat is ook wat ze mij hebben verteld,’ zei Pauli. ‘Maar ik heb geen afscheid kunnen nemen. Diep in mijn hart heb ik het nooit willen geloven. En nu hoorde ik haar stem.’

‘Er waren alleen maar tovenaars,’ zei Menno. ‘Ik heb ze alle acht gezien. Ze hadden allemaal tovenaarsmantels aan. Ik ben bang dat je je vergist.’

Pauli schudde koppig zijn hoofd. Hij wilde Menno niet geloven. ‘Ik weet toch wat ik heb gehoord. Ze was er, ik weet het zeker.’

‘Wat wil je daarmee zeggen?’ zei Menno. ‘Dat je moeder een tovenaar is?’

‘Wat?’ riep Pauli. ‘Dat neem je terug!’ Dreigend liep hij op Menno af.

‘Kom maar op,’ riep Menno. ‘Door jou is Maartje verdwenen. Misschien ben je zelf wel een tovenaar!’

Ze rolden als twee vechtende honden over de grond.

‘Stop!’ riep Elvira. Er lag zoveel gezag en dreiging in haar stem, dat ze onmiddellijk ophielden met vechten. ‘Mooi, blijkbaar werkt mijn dierenfluisteraarsstem ook bij elfen en mensen,’ zei ze tevreden. Daarna keek ze de twee jongens boos aan.

‘Waar zijn jullie mee bezig?’ vroeg ze geïrriteerd. ‘Denk je nu echt dat we Maartje hiermee terugkrijgen?’ vroeg ze aan Menno.

‘En jij,’ zei ze tegen Pauli. ‘Wat er ook aan de hand is met je moeder, nu is ze hier in ieder geval niet meer. En zo komen we er niet achter wat er aan de hand is.’

Ze keek beide jongens om de beurt aan. ‘Volgens mij willen we eigenlijk allemaal hetzelfde. Maartje is samen met Alaida en de kooi verdwenen door magie van de tovenaars. De kans is groot dat ze nu allebei op dezelfde plek zijn. Toch?’

Menno knikte aarzelend.

Elvira keek naar Pauli. ‘Als jouw moeder inderdaad nog leeft, dan is ze blijkbaar bij de tovenaars die de kooi bewaken. Die zijn net zo plotseling verdwenen als de kooi. De kans is dus groot dat ze weer bij de kooi in de buurt zal zijn. Toch?’

Pauli knikte.

‘Dus heeft het geen zin om hier te blijven. En met elkaar vechten, helpt natuurlijk helemaal niet. Als we Alaida vinden, vinden we ook Maartje en Pauli’s moeder. Het heeft alleen meer haast gekregen omdat Maartje nu misschien ook in gevaar is.’

Pauli knikte. ‘Je hebt gelijk, Maartje en Alaida vinden is belangrijk en ik moet mijn moeder zoeken. Ik wil weten wat er hier aan de hand is en of ze gevangen is genomen door Sinistro. Laten we op weg gaan. Waar zijn Alaida en Maartje en de gouden kooi naartoe?’

Zwijgend keken ze elkaar aan. Ze hadden geen idee waar ze moesten beginnen met zoeken.

Verrassende bondgenoten

Met al haar kracht hield Maartje de sleutel op de sleutelplek van de kooi gedrukt. Eerst ging dat makkelijk omdat de andere drie op haar handen duwden. Maar zodra de deur van de kooi zichtbaar werd, nam de druk op haar handen af.

"Vast blijven houden," hoorde ze Menno roepen en toen begon de kooi te schudden. Maartje pakte de tralies nog steviger vast om haar evenwicht niet te verliezen. Toen het draaien begon, liep ze eerst met de kooi mee. Maar de kooi ging steeds sneller draaien. Zonder er verder bij na te denken, sprong ze op de onderste rand van de kooi en stak ze haar arm door de tralies, zodat ze de kooi nu ook van de binnenkant vasthield. Ze bleef haar medaillon tegen de sleutelplek houden, zelfs toen ze merkte dat haar vrienden los moesten laten. Alleen Menno hield nog even vol, maar hij rende naast de kooi. Hij was snel, maar niet zo snel dat hij het draaien kon bijhouden.

'Menno,' riep ze angstig. 'Spring op de kooi!' Maar hij hoorde haar niet en ze voelde zijn handen wegslippen.

Ze stond alleen op de draaiende kooi. Ik moet ook loslaten, bedacht ze. Maar de kooi tolde zo hard in het rond, dat ze dat niet meer durfde. Ondanks alles bleef ze haar medaillon op de sleutelplek houden. Vastbesloten klemde ze haar benen om de tralies.

Voor ze doorhad wat er gebeurde, zakte de kooi in de aarde en werd ze meegezogen. Meegezogen in een wilde reis onder de grond.

De kooi leek draaiend een magische gang te volgen. De aarde kon niet in de kooi komen. Die was beschermd door de magie van de tovenaars. Maar Maartje zat aan de onbeschermde buitenkant!

Zo dicht mogelijk tegen de kooi aangedrukt, probeerde ze de aardkluiten, wortels en steentjes die nu aan alle kanten tegen haar aan sloegen, te ontwijken. Haar gezicht, armen en benen kon ze door de tralies steken en in de kooi beschermen. Haar rugzak beschermde een deel van haar rug, maar haar achterhoofd en billen waren grotendeels onbeschermd.

'Au! Au!' gilde ze. Een enorme kracht leek aan haar te trekken, alsof iets haar van de kooi af wilde sleuren. Wanhopig kneep ze in de tralies. Haar medaillon hing vergeten om haar nek, naast de gouden hangers. Ook haar tweede arm klemde zich nu om de tralies. Haar vingers slipten op het gladde goud van de kooi. De druk op haar onderarm werd ondraaglijk en het deed zo'n pijn!

Haar onderarm en hand gleden verder, steeds verder. Ze moest loslaten, het ging niet anders. Een traan van frustratie liep over haar wang.

Op het moment dat ze onbewust besloot los te laten, legde Alaida haar hand over die van Maartje. Maartje keek in de ogen van Alaida en zag een wilskracht, waaruit bleek dat de geest van de oude elf nog niet was gebroken door de tovenaars. Beschaamd sloeg Maartje haar ogen neer. Ze had bijna opgegeven! Met het laatste restje kracht dat ze nog in zich had, greep ze de tralies beet. Toen werd het zwart en wist ze niets meer.

Langzaam kwam Maartje bij bewustzijn. Haar hele lichaam deed pijn en het leek alsof ze van grote hoogte op de grond was gevallen. Beetje bij beetje herinnerde ze zich wat er was gebeurd. Dat Alaida de kracht had gevonden om haar te helpen. Ongelooflijk! Anders had ze losgelaten, realiseerde ze zich. Dat Alaida de weinige kracht die ze nog over had, had gebruikt om haar te helpen gaf wel aan dat het heel belangrijk was geweest om vast te blijven houden. Want anders…

Maartje schudde haar hoofd, ze wilde liever niet nadenken over wat er dan zou zijn gebeurd. Een pijnscheut schoot door haar rug en schouders door die kleine beweging. Maartje hapte naar adem van de pijn. Voorzichtig en met heel kleine bewegingen keek ze om zich heen. Ze zag een grot, maar geen Alaida en geen kooi. Waar waren die gebleven? Ze keek nogmaals om zich heen. De kooi was er niet. Alaida was weer verdwenen!

Voorzichtig probeerde ze op te staan. Elke beweging deed pijn. Ze was helemaal stijf geworden. Volgens mij lig ik hier al een tijdje, dacht ze. Haar rug, schouders en nek waren er het ergst aan toe. Helemaal bont en blauw. Ze voelde met haar hand aan haar achterhoofd. Haar haar zat tegen haar hoofd geplakt. Ze bekeek haar hand. Hij zat onder plakkerig rood spul. Wat was het? Maartje staarde verdwaasd naar haar rode hand. Was dat bloed? Nu voelde ze ook een stekende pijn in haar achterhoofd. Een klein straaltje warm bloed liep in haar nek en even tolde de ruimte om haar heen. Ze voelde in haar zak. Gelukkig, het geneesmos dat ze daar had gestopt toen ze de Zwerulaar gingen bevrijden, zat er nog. Ze voelde op haar achterhoofd naar de wond die al dat bloed veroorzaakte en plakte het geneesmos erop. Haar pijnlijke rug en schouders moesten maar even wachten. Ze deed haar ogen dicht, terwijl de pijn in haar hoofd langzaam wegtrok. Ik moet Alaida zoeken, bedacht ze vermoeid.

Maar ze kon het niet opbrengen.

Even rusten…. Even maar…

Met een diepe zucht viel ze in slaap.

******

Nadat Maartje, Alaida en de tovenaars spoorloos waren verdwenen, besloten Elvira, Menno en Pauli direct terug te gaan. In Goudstad hoorden ze dat Davino wakker geworden was uit zijn coma. Wat waren ze blij! Opgelucht zaten ze op de rand van Davino's bed en vertelden ze wat ze hadden meegemaakt.

'....en toen zijn we meteen weer naar Goudstad teruggegaan,' eindigde Elvira haar verhaal.

Davino bleef lang stil nadat hij het hele verhaal had gehoord.

'Zeg nu eens iets,' zei Elvira bezorgd.

'Het spijt me,' zei Davino. 'Dit is allemaal een beetje veel om te verwerken. Alaida en Maartje verdwenen. Nu moeten we weer helemaal opnieuw beginnen. Ik weet even niet meer wat we moeten doen.'

'Maar dat is toch duidelijk?' zei Menno. 'Niet makkelijk, maar wel duidelijk.'

Davino keek hem niet begrijpend aan, maar Elvira wist wel waar Menno het over had.

'Je bedoelt dat wat Maartje zag toen ze de wolken draaide met de rozet?' vroeg ze. Menno knikte.

'Ze zag de tovenaarsrots,' zei hij. 'Weten jullie nog dat Knoest zei dat dat in haar toekomst lag? Alaida is natuurlijk terug naar de tovenaarsrots getoverd en Maartje is meegetrokken.'

'Is dat niet wat te makkelijk?' vroeg Elvira argwanend. 'Eerst zetten ze Alaida vast in een land waar je heel moeilijk kunt komen. Waarom zou dat zijn? Waarschijnlijk omdat ze het niet veilig genoeg vonden in de tovenaarsrots. Wij konden Tjanda daar tenslotte ook bevrijden. Waarom zouden ze dan nu wel voor de tovenaarsrots kiezen? Ik vind het niet logisch.' Pauli knikte. Tijdens hun reis had hij beetje bij beetje hun avontuur rond de bevrijding van Tjanda gehoord. Hij was het duidelijk met Elvira eens.

‘Maar waarom zag ze die grotten dan?’ vroeg Menno.

Davino haalde zijn schouders op. ‘Ik weet het niet,’ zei hij. ‘Eerlijk gezegd kan ik ook niets beters verzinnen.’

‘Dus dan gaan we terug naar Mystica,’ zei Elvira.

‘Ik ben benieuwd wat we daar aan zullen treffen,’ zei Davino bezorgd. ‘Toen we door de verrekijker keken, was het effect van de tovenaarsmagie duidelijk merkbaar. Ik hoop maar dat er geen oorlog is.’

‘Je hebt gelijk,’ zei Menno. ‘Het is misschien niet veilig meer in Mystica. We moeten voorzichtig zijn als we aankomen. Wie weet wie er allemaal onder de invloed van de tovenaarsmagie is gekomen.’

‘We moeten het evenwicht echt zo snel mogelijk herstellen,’ zei Davino. ‘De snelste weg terug is waarschijnlijk via de toren. Als we tenminste door de deur naar Mystica komen. Misschien kan Knoest ons daarbij helpen.’

‘Kun je dan al reizen?’ vroeg Elvira.

‘Het zal wel moeten,’ zei Davino. ‘Het gaat echt al een stuk beter hoor,’ voegde hij toe toen hij Elvira’s gezicht zag.

‘Maartje voelde zich heel schuldig dat we je zoveel hangers hadden laten maken,’ zei ze zacht.

‘Ik denk dat we ze nog hard nodig zullen hebben,’ zei Davino geruststellend. ‘Zeker nu de Zwerulaar er met zeven stuks vandoor is gegaan.’

Om geen tijd te verliezen besloten ze direct op pad te gaan. ‘Wilt u de koningsscepter nog even bewaren?’ vroeg Pauli aan opa Buitenbeen. ‘Ik weet niet wat ons nog te wachten staat en hij is al zo lang kwijt dat een beetje langer vast niet uitmaakt.’

'Ik zal hem veilig opbergen tot jullie hem weer komen halen,' beloofde opa Buitenbeen. Na een hartelijk afscheid van de Buitenbeentjes, Sam, de Smelter en de Gieter begonnen ze de terugreis naar de poort van Knoest.

De reis door het bos ging nu heel gemakkelijk en al spoedig kwamen ze bij de plek waar ze een dag geleden Bergmes binnen waren gekomen.

'Hier is de poort toch ergens?' zei Elvira.

Davino knikte. 'Daar in die dikke boom,' zei hij.

'Weet je het zeker?' vroeg Pauli. Het lijkt gewoon een boom.'

'Davino heeft gelijk,' zei Menno. 'Ik heb goed opgelet toen we aankwamen en het is die boom, met die rode bladeren en die twee takken die als armen naar de lucht wijzen. Hij lijkt erg op de boom met de poort in Wispelturia.'

Elvira liep om de boom heen. 'Wat raar, er is geen bel en geen deur te zien.' Ze voelde langs de boom, maar er hing geen koord.

'Ik zie ook de rozet niet meer.'

Niet alle poorten werken blijkbaar hetzelfde,' zei Davino. 'Waar zou de bel hier zitten?'

Menno liep naar voren en bekeek de boom. De schors was ruw zoals de schors van een eik en op ooghoogte zat een dikke bult. Schuin over de bult zat een zwarte groef, alsof het hout daar verbrand was.

'Ik moest zijn naam zeggen,' zei Menno. 'Er is geloof ik geen bel.'

'Knoest, Knoest, Knoest.'

Langzaam verscheen de poort en de bult veranderde in een rozet. De zwarte beschadiging zat ook op de rozet.

'Het is een drukke tijd,' zei Knoest. 'Ik heb ook al een Zwerulaar langs gehad. Hij draaide een smiley, de geluksvogel. Ik geloof ook dat hij blij keek, al is dat wat moeilijk te zeggen bij een Zwerulaar.'

'De Zwerulaar is door de deur gegaan,' vertelde Menno.

'Hoe wist hij van deze deur af?' vroeg Davino.

'Hij zong over de magie van de deur,' zei Knoest. 'Het klonk heel mooi. Hij was onder de indruk van mijn magie. Hij voelde ook dat hij moest draaien, want hij kon me niet horen. Alleen wilde hij de rozet meenemen, die sufferd.'

'Wat gebeurde er toen?' vroeg Menno nieuwsgierig.

'De rozet heeft hem gebrand,' zei Knoest tevreden. 'Je moet ook niet denken dat je de magie van de poorten zomaar de baas kunt. Dat is heel oude magie. We weten hoe we het moeten gebruiken, maar zelfs wij weten niet hoe we het kunnen beheersen.'

'Wat zegt hij nu allemaal?' vroeg Elvira ongeduldig.

'De Zwerulaar voelde de magie van de deur,' vatte Menno het verhaal samen.

'Gelukkig,' zei Davino. 'Ik dacht even dat hij de deur kende omdat hij er met de tovenaars doorheen was gereisd. Dan zouden de tovenaars van de toren weten.'

'Zeg, ben je helemaal betoeterd?' brieste Knoest boos. 'Je dacht toch niet dat ik een tovenaar door mijn deur zou laten. Het idee alleen al!'

'Knoest laat geen tovenaars door,' zei Menno. 'Hij is boos dat je dat dacht. Ik zou mijn excuses maar aanbieden.'

'Sorry, mijnheer Knoest,' zei Davino. 'Ik dacht even niet goed na. Het is een hele geruststelling dat u hier de wacht houdt.'

'Hmpf,' knorde Knoest. 'Toch niet zo'n slimme elf als ik dacht.'

'Wat zegt hij?' vroeg Davino.

‘Ik geloof dat hij je excuses heeft aanvaard,’ zei Menno. ‘Toch Knoest?’

‘Ja, ja, genoeg daarover,’ zei Knoest. ‘Jullie zijn vlot weer terug. Was het een goed bezoek aan Bergmes?’

Menno legde uit wat er was gebeurd.

‘Dus nu willen we terug naar Mystica,’ besloot hij zijn verhaal. ‘Weet u toevallig wie de poortwachter van de poort naar Mystica is en hoe je daar door kunt?’

‘Hmm, Mystica,’ zei Knoest nadenkend. ‘Daar kun je vanuit de toren ook gewoon over land naartoe. Dus die poort is er alleen voor als het erg slecht weer is of als je heel erge haast hebt. Ik zou daar geen poortwachter willen zijn. Helemaal niet belangrijk.’

‘Maar is er wel een poortwachter?’ vroeg Menno.

‘Volgens mij niet,’ zei Knoest. ‘Ik heb er nog nooit van gehoord.’

‘Knoest denkt dat er geen poortwachter bij de poort naar Mystica is,’ zei Menno. ‘We kunnen waarschijnlijk gewoon doorlopen.’

‘Dat is een meevaller,’ vond Elvira.

‘Dat mag ook wel eens,’ zei Pauli. ‘Deze reis had tot nu toe een tekort aan meevallers, als je het mij vraagt.’

‘Wat een gemopper,’ zei Knoest.

‘Hij is nog steeds niet hersteld van de schok dat hij een doodshoofd heeft gedraaid,’ verklaarde Menno.

‘Hij mag nog wel een keer draaien,’ zei Knoest. ‘Je weet nooit wat de toekomst brengt.’

‘Je mag nog een keer draaien,’ zei Menno.

‘Echt?’ zei Pauli enthousiast. ‘Dus ik kan een nieuwe toekomst draaien?’ Hij aarzelde geen ogenblik en gaf een flinke draai aan de rozet.

Klik
Klik
Klik

'Oeps,' zei Menno.

Pauli stormde woest de deur door. Ze hoorden hem boos de wenteltrap op stampen. Vol schrik stonden de anderen nog naar de rozet te kijken. Pauli had *weer* een doodshoofd gedraaid.

'Een dubbel doodshoofd,' zei Knoest. 'Dat gebeurt niet vaak. Heftig, heel heftig.'

'Uh, ik denk dat ik het nog een keer draaien maar oversla,' zei Davino. 'Tot ziens mijnheer Knoest.'

'Tot ziens mijnheer Knoest,' zeiden ook de anderen in koor, terwijl ze achter Pauli aan, de trap van de duistere toren oprenden. De deur naar de omloop stond wagenwijd open. Voorzichtig keken ze om het hoekje van de deur, of Leonardo hen daar niet op stond te wachten. Er was niemand. Ook van Pauli was geen spoor te bekennen.

Ze liepen langs de omloop tot ze bij een open deur aankwamen.

'Zou hij al naar Mystica zijn gegaan?' vroeg Menno. Hij keek door de verrekijker en zag inderdaad het paleis van de koning, verlicht met honderden lampen.

'Ja, dit is de deur naar Mystica,' vertelde hij de anderen.

Haastig liepen ze de groene wenteltrap af, naar de poort naar Mystica. Die stond wijd open. Ze liepen Mystica binnen en even verderop zagen ze Pauli op een steen zitten, midden in een bos. Het was avond in Mystica.

'Oh, daar ben je,' zei Davino opgelucht.

'Ik zou nog veel verder zijn als ik wist waar ik nu was,' zei Pauli geërgerd. 'Ik wil zo ver mogelijk van die Knoest vandaan zijn.'

‘Waar ben je mee bezig?’ vroeg Elvira boos. ‘Je rent zo een bos in terwijl het donker is. Denk jij dan echt nooit na? Dit is heel erg gevaarlijk.’

Pauli haalde zijn schouders op en keek om zich heen naar de prachtige oude bomen en de groenbemoste stenen om hem heen. ‘Wat zeur je nu?’ vroeg hij. ‘Het is hier prachtig en er is genoeg maanlicht om goed te zien.’

‘Dat is juist het probleem,’ mompelde Davino.

‘Ik weet waar we zijn,’ zei Elvira die goed om zich heen had gekeken. ‘Het is dicht bij herberg de Bonte Vlinder. We zijn op iets meer dan een dag reizen van de tovenaarsrots.’

‘Dan zijn we dus ook heel dicht bij de geheime vallei van de Zwerulaar,’ bedacht Menno.

‘Wat hoor ik toch?’ zei Pauli. ‘Het lijkt wel of het erg gaat waaien.’

‘Windvlagen?’ zei Davino opeens alert. ‘Dat betekent…’

‘Daar zijn ze al, daar zijn ze al, ik voelde de magie,’ de stem van een Zwerulaar galmde melodieus door de bomen.

‘Ik zie ze ook, ik zie ze ook, wat doen ze nu toch hier?’ klonk een tweede iets zwaardere Zwerulaarstem.

‘Twee Zwerulaars?’ Davino’s stem bleef in zijn keel steken en er kwam een soort piepgeluid uit. Ook Menno en Elvira bleven als verlamd zitten. Alleen Pauli leek zich niet druk te maken.

‘Hallo,’ zei hij vriendelijk. ‘Bent u de Zwerulaar die we in Bergmes hebben ontmoet?’

‘Ja, dat ben ik, jazeker ik. Ze hebben mij gered,’ zong de eerste Zwerulaar eerst tegen Pauli en daarna tegen haar metgezel. Die leek niet te luisteren, maar naar Menno staarde. Die probeerde zich zo klein mogelijk te maken.

‘Is zij nu vrij, is het gelukt, is jullie doel bereikt?’ vroeg de eerste Zwerulaar.

Pauli vertelde wat er was gebeurd nadat de Zwerulaar uit Bergmes was ontsnapt. De Zwerulaar was helemaal van streek dat de tovenaars gewonnen hadden.

‘Maar we geven niet op hoor,’ zei Davino die zijn stem teruggevonden had. ‘We moeten nu alleen naar de tovenaarsrots om ze te bevrijden.’

‘En sinds jullie die Tjanda daar bevrijd hebben, zullen ze alle ingangen vast goed bewaken,’ zei Pauli pessimistisch. ‘Dus dat gaat ons nooit lukken.’

Opeens waren de Zwerulaars weer verdwenen.

‘Zouden ze boos zijn omdat we de tovenaars niet hebben verslagen?’ vroeg Menno verbaasd.

‘Misschien zijn ze bang dat ze nog een keer gevangen worden genomen,’ zei Elvira. ‘Ik kan me voorstellen dat het geen leuk bericht is, dat de tovenaars nog steeds evenveel macht hebben.’

‘We zitten nu wel midden in het bos, in Mystica, en het is donker,’ merkte Davino op. ‘We moeten proberen naar de rand van het bos te komen.’

Hij vertelde Pauli hoe gevaarlijk hun situatie was. Voordat de tovenaars het magie-evenwicht hadden verstoord, was het ’s nachts al gevaarlijk geweest in het bos. Wie weet hoe het nu was. Ze gingen direct op pad en liepen stevig door.

‘Daar is de weg,’ zei Elvira opgelucht. Ze liepen ernaartoe en gingen moe in het midden van de weg zitten.

‘En nu?’ vroeg Menno.

‘We kunnen doorlopen naar herberg de Bonte Vlinder,’ stelde Davino voor.

‘Hoe ver is dat?’ vroeg Pauli.

'Dat valt wel mee,' antwoordde Elvira. 'De vorige keer dat we hier waren, reden we op Fantje en toen waren we er zo. Misschien een paar uur lopen.'

Pauli kreunde, maar stond wel weer op. 'Vooruit dan maar.'

Zoef

Zoef

'Ze zijn weer terug,' fluisterde Menno.

De Zwerulaar zweefde naar Davino en hing voor hem in de lucht. Davino slikte een brok in zijn keel weg en werd langzaam wit.

'Hier is de kaart, hij is van jou, je krijgt hem nu weer terug,' zong de Zwerulaar tegen Davino.

'Hè, wat?' zei Davino verward.

'Ze geven de kaart van de tovenaarsrots terug,' fluisterde Elvira, terwijl ze Davino aanstootte. Die leek weer wakker te worden.

'Dank u wel,' stotterde hij.

'Hij wilde niet, hij was erg boos, voor het stelen uit de boom.' De Zwerulaar keek Menno aan. De grote lichtgrijze ogen, zonder pupil en zonder wit, leken hem een beetje te hypnotiseren.

'Maar, maar, het was Maartjes medaillon, hij had het eerst van haar gestolen en het in zijn boom gehangen,' stamelde hij.

De andere Zwerulaar kwam dreigend zijn kant op. Dat had ik beter niet zo kunnen zeggen, dacht Menno angstig. Maar hij vond wel dat hij gelijk had en hij bleef de andere Zwerulaar aankijken. Hypnotiseren kan ik ook, dacht hij. Uiteindelijk zweefde de Zwerulaar weer een stukje weg.

'Hij is wel blij, ik ben weer terug, we zijn weer bij elkaar.

De strijd is zwaar, is van belang, wij helpen jullie nu,' zong de Zwerulaar plechtig.

'Dus jullie zijn onze bondgenoten in de strijd tegen de tovenaars,' zei Menno al even plechtig.

De twee Zwerulaars leken te knikken.

'Dan moeten we ons voorstellen,' vond Menno. 'Ik ben Menno en dit zijn Davino, Elvira en Pauli.' Hij stak zijn hand uit, maar bedacht zich. 'We zullen maar geen handen schudden.'

De Zwerulaars leken te giechelen.

'Mijn naam is Lem en zij is Siet, we horen bij elkaar,' bromde de mannelijke Zwerulaar.

'Aangenaam,' zei Menno.

'Onze Zwerulaar was een zij,' fluisterde Pauli naar Elvira. Die knikte.

'Bedankt voor de kaart,' zei Davino. 'We weten nog niet waar Alaida gevangen zit, maar met de kaart wordt het zoeken een stuk makkelijker.'

Met een laatste groet, draaiden de Zwerulaars zich om en zweefden weg richting hun geheime vallei.

'Romantiek tussen Zwerulaars,' zei Elvira. 'Wie had dat gedacht?'

'Zouden daar kleintjes van komen?' vroeg Davino een beetje bezorgd.

'Daar wil ik liever niet aan denken,' zei Menno. 'Wat zouden ze trouwens in plaats van deze kaart in hun boom hangen?'

'Ik denk de zeven hangers die ze van ons heeft meegenomen,' zei Pauli. 'Die boom hangt steeds voller.'

'Kom, we gaan,' zei Davino. Ze liepen de weg op, richting de Bonte Vlinder.

'We zijn er bijna,' zei Elvira even later.

'Hoe weet je dat?' vroeg Pauli.

Zwijgend wees Elvira naar de bonte verzameling vlinders die om hen heen vloog. Het werden er steeds meer.

'Gelukkig,' zuchtte Menno. 'Ik kan wel een Kolossofant op en een bed kan ik ook wel gebruiken.'

'Dat wordt een kort slaapje dan,' zei Davino. Hij wees in de verte, waar de lucht al lichter werd.

'Ochtendschemering,' zei Menno nadenkend. 'Wat denken jullie, zal ik Niranja roepen?'

Pauli wilde al vragen wie Niranja was, maar Menno was hem voor. 'Dat is het aardvrouwtje dat ons geholpen heeft om Maartjes medaillon van de Zwerulaar terug te halen. Ze heeft ook geholpen om Tjanda de Gulsti te bevrijden uit de tovenaarsrots.'

'Goed idee,' vond Elvira.

'Zou ze niet onder de invloed zijn van de tovenaarsmagie?' vroeg Davino aarzelend.

'We hebben haar nodig,' zei Menno. 'Hoe wil je anders in Crenby al Berion komen, zonder Fantje? Lopen door dat bos met die gevaarlijke Puntsnuiters zeker? Bovendien, we hebben de hangers toch.'

'Ik bedoelde dat ze misschien niet komt,' zei Davino. 'Als zij onder de invloed is, dan zal ze niet zo maar komen om te helpen.'

'We kunnen het in ieder geval proberen,' zei Menno. Hij sprak Niranja's naam drie maal uit. 'Zo, nu maar wachten tot ze komt. Eerst iets eten en dan heerlijk slapen.'

Dat was makkelijker gezegd dan gedaan. De herbergier wilde hen niet zo maar helpen. Davino pakte een hanger. De hanger had een dubbel effect. Ten eerste wilde de herbergier graag een gouden hanger hebben. Goud was iets nieuws in Mystica. Toen hij de hanger had omgehangen, kwam het tweede effect erbij. De herbergier werd minder hebberig! Ze kregen een viergangen diner en de zachtste bedden van de herberg. Met een volle buik lagen ze even later in een diepe slaap.

Oude vrienden

Menno werd wakker van een kus op zijn wang.

'Wat? Wie?' zei hij slaperig. Hij ging rechtop zitten en wreef de slaap uit zijn ogen.

'Niranja!' riep hij toen enthousiast. 'Wat fijn je weer te zien.'

Niranja stond breed naar hem te glimlachen. Menno vertelde haar waarom hij weer in Mystica was en waarom hij haar had geroepen. Van al dat kabaal werd Elvira ook wakker.

'Wat is er aan de hand?'

'Niranja is er,' riep Menno opgewonden. 'Ik wist wel dat ze zou komen.'

'Hallo Niranja,' zei Elvira. 'Hoe is het met je?'

'Met mij gaat het goed,' zei Niranja. 'Maar met Mystica gaat het minder.'

'Daar willen we alles over horen,' zei Elvira. 'Wacht, ik wek de anderen even.'

Na veel geschud en zelfs gekietel, werd ook Davino wakker. Ze stelden Pauli aan Niranja voor en niet lang daarna zaten ze allemaal op Menno's bed naar Niranja te luisteren.

'Het is chaos,' vertelde Niranja. 'Je herkent Crenby al Berion en Ilia do Rada vast niet meer. Elfen die voorheen vrienden waren, vliegen elkaar om het minste geringste in de haren. Niemand doet meer iets voor een ander. Ze gooien zelfs hun afval gewoon op straat, alsof iemand anders het dan maar op moet ruimen. De straten stinken, er ligt zelfs poep van de dieren. Het is gewoon niet te beschrijven. Iedereen denkt alleen aan zichzelf,' Niranja schudde haar hoofd alsof ze het zelf nauwelijks kon geloven.

'Maar Crenby al Berion was juist zo'n prachtige stad,' zei Menno geschokt. 'Hoe kan dat zo snel vervuilen? Zo lang zijn we toch niet weg geweest?'

'Als bijna iedereen meedoet, gaat het vlug,' zuchtte Niranja. 'Het lijkt wel of wij aardmannetjes de enigen zijn die er geen last van hebben,' vertelde ze verder. 'Onze Raad der Ouden is heel bezorgd en heeft besloten dat we zoveel mogelijk onder de grond moeten blijven.'

'Dus je was bijna niet gekomen,' zei Menno.

'Natuurlijk wel,' zei ze. 'Dat had ik toch beloofd.'

'Denk je dat het gevaarlijk is in Crenby al Berion?' vroeg Davino. 'Ik dacht dat we misschien bij de gildemeester langs konden gaan, om zijn hulp te vragen.'

'Hij zal je niet aanvallen of zo,' zei Niranja. 'Het enige risico dat je hebt, is dat hij je misschien aan de tovenaars uitlevert voor een beloning. Daar heb ik wel verhalen over gehoord.'

'Over de gildemeester van de meubelmakers?' vroeg Menno ongelovig.

'Nee, ik weet niet wie dat doen,' antwoordde Niranja. 'Ik weet alleen dat het gebeurt.'

'We moeten voorzichtig zijn,' zei Elvira. 'Misschien moet één van ons kijken of het veilig is, zodat de rest diegene nog kan redden.' Ze keek Menno aan. 'Ik denk dat jij dat moet zijn. De gildemeester kent jou het beste en jij hebt vriendschap met hem gesloten. Hij zal jou vast niet verraden.'

Menno knikte. 'Ik denk dat je gelijk hebt.' Hij keek naar Niranja. 'Wil jij ons naar Crenby al Berion brengen door de tunnels van de aardmannetjes? Vindt de Raad der Ouden dat goed?'

'Ik denk het wel,' zei Niranja. 'De tunnels zijn onder de grond, dus dan doe ik wat zij zeggen.'

'Kunnen we meteen op weg gaan?' vroeg Davino. 'Als het in Mystica inderdaad zo erg is als jij zegt, dan is het magie-evenwicht heel erg verstoord. Als we Alaida niet binnenkort bevrijden, dan kan ze het evenwicht niet meer herstellen.'

Daar schrokken ze van. Tot nu toe hadden ze gedacht dat door Alaida's bevrijding alles weer goed zou komen.

'Dus als we te laat zijn, kan het evenwicht niet worden hersteld?' vroeg Pauli.

'Niet door Alaida alleen,' antwoordde Davino. 'En het ziet er niet naar uit dat Leonardo daar een handje bij gaat helpen.'

'Geen tijd te verliezen,' zei Pauli terwijl hij opsprong. 'Waar zijn die tunnels?'

'Kom maar mee,' zei Niranja. 'Dan kunnen jullie Gladdius ook weer begroeten. Gelukkig ben ik op onze snelste worm gekomen.'

'Snelste worm?' vroeg Pauli terwijl hij achter de anderen aan naar buiten liep.

'Jazeker,' antwoordde Niranja. 'Gladdius is onze snelste worm. Hij blijft onderweg niet steeds stilliggen om aarde te eten.'

Ze liep naar voren en mompelde een spreuk. Voor hen begon de grond te beven en ontstond een grote opening.

'Hola, wat is dat?' zei Pauli.

'Weet je dan niet dat aardmannetjes door tunnels reizen, op een grote worm?' vroeg Menno. 'Hoe komt het dat je zo weinig over je land weet?'

Pauli keek beschaamd. 'Dit is me allemaal wel verteld door mijn leraren, maar ik heb niet zo goed geluisterd. Het is ook allemaal heel anders nu ik het in het echt zie. Ik snap nu pas waarom de lessen nuttig waren.'

Daar moest Menno even over nadenken. Hij had ook altijd het gevoel dat de helft van zijn lessen nutteloos waren. Geschiedenis bijvoorbeeld, wie zat daar op te wachten? Maar blijkbaar kon je van te voren niet altijd bedenken waarvoor je het nodig zou kunnen hebben. Ik ga beter opletten, nam hij zich voor.

'Kom op,' zei Niranja tegen Pauli. 'Klim op Gladdius, dan zul je eens merken hoe hard een worm kan kruipen en weet je waarom we ze gebruiken. Ik kan jullie tot de rand van de stad brengen. Midden in de stad kan ik geen opening maken.'

Het reizen per worm was bijna net zo snel als met een vliegende hond. Na een voorspoedige reis kwamen ze aan in Crenby al Berion. Veel te snel naar de zin van Niranja, die het liefst nog langer bij Menno in de buurt was gebleven.

'Denk je dat de aardmannetjes mee zullen vechten in de strijd tegen de tovenaars?' vroeg Davino.

'Denk je dat er echt een strijd komt?' vroeg Elvira verschrikt.

'Als het ons niet op tijd lukt om Alaida te bevrijden en het evenwicht blijft verstoord, dan zullen de tovenaars vast proberen om de macht te grijpen. Dan breekt er oorlog uit,' zei Davino serieus. 'Het is goed om te weten wie er dan mee zullen strijden.'

'Ik zal het aan de Raad der Ouden voorleggen,' zei Niranja geschrokken. 'We dachten niet dat het al zo erg was.'

Davino haalde zijn schouders op. 'Als wij succes hebben, komt het vast niet zo ver.'

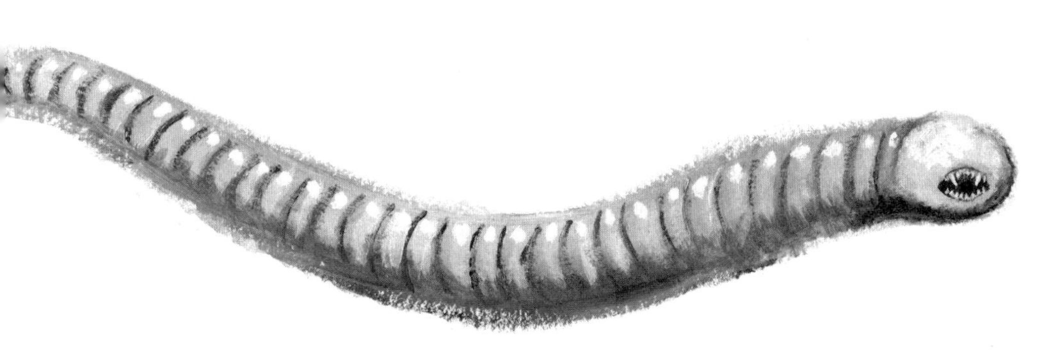

‘Maar een gewaarschuwd aardman telt voor twee,’ zei Menno. Niranja glimlachte naar hem. Met een laatste zwaai naar haar vrienden verdween ze weer in de tunnels, om de Raad der Ouden te waarschuwen.

‘Op naar de gildemeester,’ zei Menno met een zucht. Hij hoopte dat de gildemeester niet onder de invloed van de tovenaarsmagie was gekomen. Maar hij woonde wel heel dicht bij de tovenaarsrots. Ze moesten voorzichtig zijn en goed op de signalen letten.

******

Na een lange diepe slaap opende Maartje haar ogen. Voorzichtig bewoog ze haar hoofd. Het geneesmos had zijn werk gedaan. De wond was genezen en haar achterhoofd deed geen pijn meer. Ze bewoog haar benen en er ging een pijnscheut door haar rug en billen. Daar had ze helaas niet genoeg geneesmos voor gehad. Iedere beweging en iedere stap die ze zette deed pijn. Ze verzamelde het geneesmos weer, maakte er met spuug een papje van en deed het op de pijnlijkste plekken. Meer kon ze niet doen.

Ze keek eens goed om zich heen. Hoewel ze duidelijk onder de grond was, kon ze goed zien. Het eerste dat haar opviel was een grote kikker boven haar hoofd op het plafond. De kunstenaar die de kikker uit de rotswand had gehakt, had het zo goed gedaan, dat het net een echte kikker leek. De vorige keer dat ze zoiets op het plafond had gezien, was ze in de binnenste grotten van de tovenaarsrots geweest.

Dus dit heb ik in de wolken van de rozet gezien, dacht ze. Dit was de toekomst die Knoest voorspelde. Zou ik inderdaad in de tovenaarsrots zijn? En waar is Alaida? Ze keek om zich heen en liep richting een grote zaal. Hier waren ze de vorige keer, toen ze Tjanda gingen bevrijden, niet geweest. Het leek wel of dit gedeelte van de tovenaarsrots al heel lang niet meer was gebruikt. Op de wanden van de grot waren prachtige figuren van dieren gebeeldhouwd, maar allemaal waren ze bedekt met een dikke laag stof. Voorzichtig haalde ze een vinger over de staart van een mooie slapende kat. Onder de laag stof kwamen felle kleuren tevoorschijn. Ze keek eens goed om zich heen. Het was een ruime zaal en zelfs met al dat stof was het er prachtig. Aan de linkerkant stond een grote stenen stoel, mooi genoeg voor een koning. Het leek wel een troonzaal. Waarom zou Sinistro hem dan niet meer gebruiken?

Ze veegde nog een keer over de muur en ontdekte een prachtig vogeltje dat ze helemaal afstofte. Daarna kwam ze bij een enorme tijger met drie hoorns. Nieuwsgierig naar zijn lichaam veegde ze verder.

Tsjilp, Tsjilp.

Maartjes hand bleef boven de staart van de driehoorntijger hangen. Wat was dat? Om de troon vloog een vogeltje. Het beestje tjilpte vrolijk en ging op een stokje aan de zijkant van de troon zitten. Volledig op zijn gemak, alsof er speciaal voor hem een stokje aan de troon was gemaakt.

'Waar kom jij vandaan?' vroeg ze het vogeltje, terwijl ze de staart van de tijger iets verder afstofte.

'Tsjilp, Tsjilp,' antwoordde het diertje.

Maartje keek naar de muur waar ze zojuist een vogeltje had afgestoft. Hè, dat had toch daar gezeten? Vlak voor de tijger? Maartje keek nog een keer goed, maar de muur was kaal. Het vogeltje was verdwenen! In gedachten poetste Maartje nog iets verder aan de staart van de tijger. Wacht eens! Haastig trok

Maartje haar hand terug. Ik weet waar het vogeltje vandaan komt. Dat komt van de muur. Ik heb het levend gemaakt met dat poetsen. Geschrokken keek ze naar de muur. Nog één veeg en die gevaarlijke tijger was ook helemaal afgestoft geweest.

'Sorry tijger,' zei Maartje, 'maar ik durf je niet te bevrijden.'

Er leek een rilling door de tijger te gaan en Maartje had het gevoel dat het dier verdrietig keek.

Langzaam liep ze de zaal rond. Nu zonder verder iets aan te raken. Achter zich, zag ze haar eigen voetsporen in het stof. Ik geloof dat ik hier voorlopig wel veilig ben, dacht ze. Tenminste, als ik mijn schoonmaakwoede kan bedwingen. Er is in ieder geval al heel lang niemand geweest. Ze liep naar de stenen stoel. Aan de andere kant van de troon stond een tafeltje met daarop een beker, een versierde doos en een boek. Nieuwsgierig pakte Maartje het boek, ging op de stoel zitten en sloeg het open. Een wolk stof vloog in de lucht en het vogeltje vloog even omhoog van zijn stokje om het stof te vermijden.

Het leek een geschiedenisboek. Er stonden verhalen van koningen en hun families in. Per hoofdstuk was er een kleurrijke en gedetailleerde tekening.

'Volgens mij zijn dit tovenaars,' zei Maartje hardop. Haar stem galmde door de zaal. Snel keek ze om zich heen of niemand haar had gehoord. In stilte bladerde ze verder.

'Dat lijkt Pauli wel,' riep ze toen uit. Ze sloeg een hand voor haar mond. Ik lijk wel zo'n gekke oude vrouw die alsmaar in zichzelf praat, vond ze. Ze dacht aan de vrouw die soms bij haar in de buurt door het park liep. Nu weet ik waarom ze hardop praat. Teveel stilte is echt onaangenaam.

Waar ben ik mee bezig? Ik heb helemaal geen tijd om een boek te lezen, hoe interessant dat boek ook is. Ze sloeg het boek dicht.

Zal ik het meenemen? dacht ze. Ze had het gevoel dat het boek belangrijk was en stopte het in haar rugzak, bij het boek dat ze van de elfenkoning had gekregen.

Genoeg getreuzeld, sprak ze zichzelf toe. Ik moet op zoek naar Alaida en proberen haar te bevrijden. Ze sprong van de stoel en klopte haar broek af. Haar billen deden al een stuk minder pijn.

'Hoe ga ik haar vinden?' zuchtte ze. 'Misschien kom ik wel één van de versteende helden tegen. Die willen me vast wel helpen. Of anders moet ik op goed geluk rond gaan lopen en hopen dat ik Alaida vind voor ik iemand anders tegenkom.'

Optimistisch ging Maartje op weg, op zoek naar de door Sinistro versteende tovenaars die als beelden in de tovenaarsgrot stonden. Van één ding was ze zeker, de versteende helden wilden ook niet dat Sinistro de macht kreeg! Vol goede moed liep ze naar de deur aan het einde van de stoffige troonzaal. Ze haalde de houten balk die de deur afsloot van zijn steunen en deed de deur open. Ze moest er flink tegen duwen voor ze hem zo ver open kreeg, dat ze erdoor kon kruipen. Het vogeltje tjilpte vrolijk en vloog met haar mee. Ze had een nieuwe reisgenoot gevonden.

******

'Dus ik klop aan en kijk hoe hij reageert,' zei Menno toen ze bij de woning van de gildemeester waren aangekomen.

'Ja,' zei Elvira. 'Als alles goed is, dan maak je het geluid van een uil dat je zo goed kunt.' Menno knikte. Voor de zekerheid oefende hij het nog een keer.

'*Oehoe.*'

Hij rechtte zijn schouders, stapte op de deur af en klopte.

'Wie is daar?' vroeg een zachte stem van achter de deur.

Menno herkende de stem van de bediende van de gildemeester.

'Helmio, ik ben het, Menno.' Hij hoorde voetstappen wegrennen en weer terugkomen en de deur werd opengegooid. In de deuropening stond een man met een grote, rare hoed van boomwortels en een gewaad van takken. Menno staarde hem aan. Wie was dit nu weer?

'Herken je me niet?' vroeg de gildemeester van de Kamer zonder hamer. Menno herkende de vriendelijke stem die onder de overhangende rand van de bizarre hoed vandaan kwam.

'Eh, dag gildemeester,' zei hij aarzelend.

'Kom vlug binnen,' zei de gildemeester en greep Menno bij zijn arm. 'Het is niet veilig op straat zonder bescherming.'

Menno was zo van zijn stuk door de rare hoed van de gildemeester en de vaart waarmee hij van de straat werd getrokken, dat hij vergat te *Oehoe*-en.

De anderen zagen dat Menno naar binnen werd getrokken en aarzelden geen moment. Met zijn drieën stormden ze op de deur af, zodat de gildemeester de deur niet meer kon sluiten. Pauli probeerde Menno uit de greep van de gildemeester te bevrijden, terwijl de anderen de deur openhielden.

'*Oehoe*,' zei Menno snel.

'Wat?' riep Pauli. 'Daar kom je nu mee?'

'Oeps,' zei Elvira.

Het gevecht in de hal had de aandacht getrokken van een groep mensen met vreemde gewaden en hoeden. Dreigend kwamen ze om het viertal heen staan. De gildemeester had Menno nog steeds vast en ook de anderen werden nu vastgehouden.

'Wat gebeurt er toch allemaal?' vroeg de gildemeester verbaasd.

‘Ze zijn onder de invloed van de magie,’ zei een man dreigend. ‘Dat zie je toch.’

‘*Wij* zijn niet onder de invloed van de magie,’ zei Davino, terwijl hij zich los probeerde te trekken. ‘*Jullie* zijn onder de invloed. Kijk maar eens hoe boos en dreigend jullie doen.’

‘Dat is Janus maar,’ suste de gildemeester. Door het gevecht was zijn hoed scheef komen te staan en Menno keek recht in zijn vriendelijke ogen. Hij is vast niet onder de invloed, dacht Menno. Dan zou hij niet meer zo vriendelijk kijken. Mijn moeder zegt altijd dat de ogen de spiegel van de ziel zijn. Daar kun je aan zien hoe iemand is. Hij nam het besluit de gildemeester te vertrouwen.

‘Wij kwamen uw hulp vragen tegen de tovenaars,’ zei hij. ‘Maar we wisten niet of u onder de invloed van hun magie was gekomen. Vandaar dat we een plan hadden voor als het mis ging.’ Hij keek om zich heen naar zijn vrienden die nog steeds door boos kijkende mannen werden vastgehouden. ‘Een plan dat niet goed werkte trouwens,’ zei hij verwijtend tegen Elvira.

‘Ik was erg blij je te zien Menno,’ zei de gildemeester. ‘Ik trok je zo vlug naar binnen omdat je zonder bescherming buiten stond.’ Hij wees even naar zijn hoed.

‘Dat is uw bescherming?’ vroeg Pauli ongelovig. ‘Dat ziet er eerder uit als een verkleedpartij.’

‘Wie is jullie vriend?’ vroeg de gildemeester onverstoorbaar.

‘Dat is Pauli, de zoon van de koning,’ zei Davino.

‘Dan kunnen we hem maar beter loslaten en met wat meer eerbied ontvangen,’ zei de gildemeester. ‘Gildemeesters, het is vertrouwd, laat ze allemaal maar los. Ik snap niet hoe het kan, maar het lijkt erop dat ze niet onder de invloed zijn.’

Menno haalde al adem om dat toe te lichten, toen Elvira hem een stoot met haar elleboog gaf.

‘Eerst even horen wat hier aan de hand is,’ fluisterde ze zacht. ‘Waarom zijn hier zoveel mensen en waarom zijn ze zo raar gekleed?’

Menno knikte. Het was inderdaad beter om eerst het verhaal van de gildemeester te horen, voordat ze hun eigen plannen en geheimen prijsgaven.

Het was een vreemde groep die even later om de tafel van de gildemeester zat. De gildemeesters hadden vreemde hoofddeksels op, allemaal gemaakt van boomwortels. Het zag er bizar en een beetje dreigend uit. Pauli kon zijn nieuwsgierigheid niet langer bedwingen.

‘Waarom hebben jullie toch die hoeden op?’ vroeg hij.

‘Ik merkte al een tijd geleden dat er steeds meer tovenaarsmagie in de lucht hing,’ vertelde de gildemeester. ‘Toen ben ik begonnen met het zoeken naar bescherming. Ik kwam erachter dat ik minder last had als ik een groot meubelstuk aan het maken was. Ik ben gaan experimenteren. Boomwortels en -takken boden de beste bescherming. Weinig elfen wilden mij geloven, maar degenen die de negatieve magie ook voelden, hebben zich beschermd.’

‘Vandaar dat de aardmannetjes ook geen last hebben,’ begreep Menno. ‘Die wonen onder de boomwortels.’

‘Hebben die er geen last van?’ mompelde de gildemeester. ‘Interessant.’

‘Weet u waarom er zoveel tovenaarsmagie in de lucht zit?’ vroeg Davino.

‘Daar waren we net over aan het vergaderen,’ zei de gildemeester. ‘We hebben het gevoel dat we iets moeten doen, maar we weten niet goed wat de oorzaak is en waar we tegen moeten strijden. We hebben een boodschapper naar Alaida gestuurd om haar om raad te vragen, maar die is nog niet teruggekomen.'

'Sinistro heeft Alaida gevangen genomen,' zei Menno.

Iedereen begon bij dat nieuws door elkaar te praten.

'Dat kan niet!'

'Onmogelijk!'

'Lariekoek, jullie proberen ons te bedotten!' klonk het ongelovig. Alleen de gildemeester bleef stil en dacht diep na.

'Het is echt waar!' riep Pauli, geërgerd dat ze hen niet geloofden.

'Daarom is er zoveel tovenaarsmagie,' voegde Elvira toe. 'Het evenwicht tussen de goede en de kwade magie is verstoord.'

'Net als in de voorspelling van koningin Tansia,' zei de gildemeester zacht.

'Inderdaad,' zei Davino. 'We moeten haar zo snel mogelijk bevrijden, anders kan het evenwicht niet meer hersteld worden.'

'Wilt u ons weer helpen?' vroeg Menno.

Daar hoefde de gildemeester niet over na te denken. 'Wat denk je?' vroeg hij vriendelijk. Maar daarna keek hij direct weer ernstig.

'Ik snap niet dat dit kon gebeuren,' zei hij. Koning Bernacus heeft ons gildemeesters gevraagd om Sinistro in de gaten te houden. We hebben de tovenaarsrots het afgelopen half jaar geen moment uit het oog verloren. We hadden toch moeten merken dat ze Alaida daar gevangen hielden.'

'Alaida was daar ook niet,' zei Davino. 'Ze hadden haar in een ander land gevangen gezet. Wij denken dat ze pas eergisternacht in de tovenaarsrots is aangekomen. Hebben jullie toen iets vreemds gezien?'

‘Wie stond wacht?’ vroeg de gildemeester. Hij keek de kring rond. Een kleine smalle vrouw met een uitzonderlijk grote hoed met een flaprand die tot op haar schouders reikte, stak haar hand op.

‘Wat is er, gildemeester Clavia?’ vroeg de gildemeester.

‘Mijn gilde stond wacht, Eugenio,’ zei ze. Het was duidelijk de gildemeester van de Kamer van de sleutel. Over haar takkenjas droeg ze een ketting met wel twintig sleutels eraan. ‘Het was drukker bij de tovenaarsrots dan daarvoor, maar verder niets bijzonders,’ zei gildemeester Clavia. ’Het enige opvallende was dat ze de ingangen beter leken te bewaken. Er was voor het eerst ook een bewaker bij de ingang van de meubelmakers.’

‘Dat is waar ook,’ zei gildemeester Eugenio. ‘Ik heb er toen niets achter gezocht, maar nu is het duidelijk dat ze een inval verwachtten.’

‘Eergisterennacht hebben we geprobeerd Alaida te bevrijden,’ zei Menno bedroefd. ‘Maar dat is mislukt. Plotseling was ze met kooi en al weg. Maartje werd met de kooi meegesleurd en nu zijn ze allebei verdwenen. We denken hiernaartoe, omdat Maartje dat in de wolken had gezien.’

‘Weet je waar in de tovenaarsrots?’ vroeg gildemeester Eugenio.

‘Niet echt,’ zei Davino. ‘Maartje had het over een grot met een kikker op het plafond.’

‘Hmmm,’ zei gildemeester Eugenio. ‘Dan is het in ieder geval niet de ceremoniekamer. Ik weet niet waar die grot is. Jullie wel?’ vroeg hij aan de andere gildemeesters. Ze schudden hun hoofden.

‘Als we de tovenaarsrots zijn, dan kunnen we het aan Torfullio of één van de andere versteende tovenaars vragen,’ zei Menno. ‘Zij willen ons vast weer helpen.’

‘Maar hoe willen jullie in de tovenaarsrots komen?’ vroeg gildemeester Clavia. ‘We houden alle in- en uitgangen in de gaten en ze worden allemaal door de tovenaars bewaakt.’

‘Misschien helpt deze kaart,’ zei Davino, terwijl hij de magische kaart van de tovenaarsrots tevoorschijn haalde.

‘Heb je die teruggevonden?’ vroeg gildemeester Eugenio. ‘Dat kan inderdaad helpen.’

De gildemeesters bogen zich over de kaart. Eén voor één werden de bekende in- en uitgangen gemarkeerd. Op het laatst bleven er nog één ingang en één uitgang over.

‘Zouden die bewaakt worden?’ vroeg Pauli.

‘Dat moeten we onderzoeken,’ zei gildemeester Eugenio. ‘Janus, Jorg, willen jullie dat verkennen?’

Een uur later waren Janus en Jorg terug.

‘Het is daar doodstil,’ zei Janus. ‘Ik denk dat de tovenaars die in- en uitgang ook vergeten zijn.’

‘Dan is dat onze kans,’ zei Elvira. ‘Maar hoe kunnen we onopgemerkt in de tovenaarsrots rondlopen als er zoveel tovenaars zijn?’

‘Wij zullen voor afleiding moeten zorgen,’ zei gildemeester Eugenio. ‘Wij van de Kamer zonder hamer kunnen bij de meubelmakersingang naar binnen proberen te gaan. Als de andere gildes dat bij andere ingangen doen, zijn de tovenaars te druk met ons bezig om ook nog binnen op te letten.’

‘Willen jullie dat doen?’ vroeg Davino.

Alle gildemeesters knikten. ‘Wij waren hier bij elkaar omdat we vonden dat er iets moest gebeuren,’ zei één van hen. ‘Nu weten we wat.’

‘Maar is dat niet gevaarlijk?’ vroeg Pauli.

'Als je de strijd aangaat met tovenaars, is het altijd gevaarlijk,' zei gildemeester Eugenio vriendelijk. 'Maar we zullen proberen om de aandacht naar ons toe te trekken, zonder dat we moeten vechten.'

'Eigenlijk willen we nu op pad om Alaida te bevrijden,' zei Davino. 'Hoe lang hebben jullie nodig om de afleiding te regelen?'

'Lukt het over twee uur?' vroeg gildemeester Eugenio. De andere gildemeesters knikten, sommigen wat aarzelend. Twee uur was wel heel kort.

'Over twee uur zullen wij met de afleiding beginnen en kunnen jullie de geheime ingang gebruiken,' besloot gildemeester Eugenio. 'Het is jammer dat we nu alweer afscheid moeten nemen, maar ik denk dat jullie het beste direct op weg kunnen gaan.'

Leonardo's kaart

Voorzichtig sloop Maartje door de gangen van de tovenaarsrots. Ze was nu in het gedeelte waar de tovenaars ook kwamen. Dat was duidelijk te zien aan de vloer. Er lag minder stof en ze zag voetstappen in verschillende soorten en maten. Hoe verder ze liep, hoe meer voetsporen en hoe langzamer en behoedzamer Maartje bewoog. Ze was nu echt aan het sluipen en maakte bijna geen geluid.

'Halt, wie gaat daar?' galmde het door de grot. Maartje schrok zich lam en bleef stokstijf stilstaan. Haar linkervoet, opgetrokken voor haar volgende stap, bleef in de lucht hangen. Ze haalde zelfs geen adem meer.

'Durf je niet verder meer?' spotte de stem. 'Terecht! Ondanks alle beperkingen ben ik nog een macht om rekening mee te houden.'

Maartje zette zo zacht ze kon haar voet weer neer en begon langzaam achteruit te schuifelen.

'Hmm, is er dan toch niemand?' zei de stem. 'Vreemd, ik dacht dat mijn gehoor echt veel beter was geworden sinds ik me niet meer kan bewegen. Hoorden jullie niets?'

Maartje schrok. Er waren dus meerdere tovenaars om de hoek van de gang. Ze moest hier zo snel mogelijk weg zien te komen, voordat ze haar ontdekten. Ze schuifelde nog verder achteruit.

Tonk

Ze schopte per ongeluk tegen een steentje dat tegen de rotswand ketste.

'Ik hoor het ook,' zei een tweede stem.

'Ja!'

'Wie is daar?'

Maartje hoorde wel vier stemmen door elkaar, ze verwachtte ieder moment dat een stevige hand haar in haar kraag zou grijpen en haar gevangen zou nemen. Maar niemand kwam de hoek om. Wat raar, dacht Maartje. Nieuwsgierig schuifelde ze naar voren.

'Daar komt iemand,' zei de eerste stem. 'Iemand die ons kan horen. Wie zou het zijn?'

Wie zou ik kunnen horen? vroeg Maartje zich af. Voorzichtig gluurde ze om de hoek van de gang.

Ze staarde recht in het angstaanjagende, boos schreeuwende gezicht van een woedende tovenaar.

'Iiiiieeeh,' gilde ze en deinsde achteruit.

'Shhhhst,' siste de stem.

'Maartje?' zei een andere stem verbaasd.

Toen ze haar naam hoorde, hield Maartje op met gillen en keek ze behoedzaam nog een keer om de hoek.

'Ja, ze is het,' zei de stem. 'Jij bent het toch Maartje? Wat doe jij hier? Hebben ze weer een Gulsti gevangen? Ik heb niets geroken.'

Opeens had Maartje door wie er om de hoek van de gang stonden. Het waren de versteende helden. De goede tovenaars die Sinistro lang geleden had versteend omdat ze de elfenkoning hadden geholpen. Tijdens hun vorige bezoek aan de tovenaarsgrot had Menno ontdekt dat ze de standbeelden konden horen, als ze hen beleefd gegroet hadden. De beelden hadden geholpen Tjanda de Gulsti te vinden in het doolhof van gangen.

Maartje keek nog eens goed. Het gezicht waar ze net zo van was geschrokken, was van de tovenaar die betoverd werd toen hij net heel boos schreeuwde. Vandaar dat hij er zo gevaarlijk en woest uitzag. Maartje liep verder de hoek om. Even verderop zag ze ook hun versteende vriend staan.

‘Hallo Torfullio,’ begroette ze hem. ‘Ik had niet door dat jullie het waren. Ik hoorde jullie stemmen en dacht dat de tovenaars me gevonden hadden. Ik schrok me lam.’

Ze keek naar de twee rijen met beelden die aan weerszijden langs de kant van de gang stonden. Het vogeltje zocht een plekje op het hoofd van de wild schreeuwende tovenaar. Dat zag er vreemd uit. Zo’n boos beeld en dan zo’n lieflijk vogeltje erop. Maartje moest lachen.

‘Maar wat doen jullie hier? vroeg ze. ‘Jullie stonden toch eerst ergens anders?’

Ze keek ongerust naar de beelden toen het stil bleef. Had ze een verkeerde vraag gesteld?

Ik heb ze niet gegroet, bedacht ze. Alleen de versteende helden die ik heb gegroet kunnen me horen. Van de 29 beelden die hier stonden, kende ze er maar vijf. Het grootste deel van de beelden, kon ze dus niet horen. Waarschijnlijk gaven die antwoord. Ze liep langs de rij beelden en groette ze één voor één.

‘Hallo, ik ben Maartje, aangenaam kennis met u te maken.’

Bij elk beeld dat ze groette, kwam er een stem bij. Toen ze klaar was, werd ze bijna doof van het kabaal van de beelden die allemaal door elkaar aan het schreeuwen waren. Sommigen wisten niet wie ze was en vroegen hardop om uitleg. Anderen wilden weten wat ze hier kwam doen en of ze wel te vertrouwen was. Een aantal gaf antwoord op haar vraag. Maartje deed haar vingers in haar oren om het geluid te stoppen. Maar dat hielp niets, want de stemmen galmden in haar hoofd. In de gang zelf, was alleen haar eigen stem hoorbaar.

‘Alstublieft, niet allemaal door elkaar,’ smeekte ze. ‘Dit is teveel, hier kan ik niet tegen.’

Gelukkig nam Torfullio de leiding. ‘Nu allemaal stil,’ bulderde hij. ‘We maken haar nog gek.’

Hoewel het bulderen Maartje van top tot teen deed trillen en het bevel nog een tijdje in haar hoofd bleef nagalmen, was het effect opmerkelijk. Een weldadige stilte nam de plaats in van het kabaal.

‘Torfullio, hoe komen jullie nu allemaal hier bij elkaar in deze gang?’ vroeg Maartje. ‘Is Sinistro erachter gekomen dat jullie ons geholpen hebben? Heeft hij jullie daarvoor gestraft?’

'Sinistro weet niet eens dat we zo kunnen praten,' vertelde Torfullio tevreden. 'De reden dat we hier staan is eigenlijk heel simpel. We stonden eerst in de buurt van de in- en uitgangen van de rots. Sinistro is zich aan het voorbereiden op een oorlog en wij stonden gewoon in de weg. Wel jammer dat we nu hier staan. Er komt nooit iemand langs en ik heb geen idee meer wat er gaande is.'

'Maar ik zag een heleboel voetstappen op de grond,' zei Maartje. 'Ik dacht dat ik in het drukke gedeelte van de tovenaarsrots was aangekomen.'

'Dat waren waarschijnlijk de voetstappen van de tovenaars die ons naar deze plek hebben gesjouwd,' zei Puntsnor, een andere bekende van Maartje. 'Maar vertel eens, ik ben nieuwsgierig. Waarom ben je hier? Het was toch gelukt om die Gulsti te bevrijden?'

'Jazeker,' zei Maartje. 'Maar nu is er iets veel ergers aan de hand. Sinistro heeft Alaida gevangen genomen!' Ze verwachtte een geschokte reactie, maar er kwam alleen een verbaasde vraag: 'Alaida, wie is Alaida?' vroeg Torfullio.

Maartje keek hem verwonderd aan, maar toen begreep ze het. Ze kenden Alaida helemaal niet! Torfullio en de andere goede tovenaars hadden lang geleden gestreden om Mystica tegen een andere Sinistro te beschermen. Alaida leefde toen nog niet. Ze legde uit dat Alaida nu eigenlijk de enige elf was die de goede magie beheerste en dat zij dus voor het evenwicht tussen goede en kwade magie zorgde.

'Nu hebben ze haar in een magische gouden kooi opgesloten en is de magie verstoord,' legde ze uit. 'Weten jullie waar die kooi is?'

Even was het helemaal stil in de gang.

‘Hoe belangrijk is dit voor Sinistro?’ vroeg een lange tovenaar met een grote neus.

‘Heel belangrijk, denk ik,’ zei Maartje. ‘Hij wil vast niet het risico lopen dat er weer iemand ontsnapt uit de tovenaarsrots.’

‘Dan denk ik aan de Plugduivengrot,’ zei de lange tovenaar.

‘Dan nemen ze wel een groot risico, Marnix,’ zei Torfullio. ‘Als het mis gaat bij die Plugduiven, verdrinkt de gevangene en heb je niets meer.’

‘Ik denk dat hij liever heeft dat ze verdrinkt, dan dat ze weer vrij komt,’ zei Marnix somber.

‘Wat is dat dan, de Plugduivengrot?’ vroeg Maartje.

‘Dat is een grot waar water meeverdedigt en de gevangene bewaakt,’ zei Marnix raadselachtig. ‘Een verkeerde beslissing of beweging en er treedt een kettingreactie in werking. Juist mensen met een goed hart lopen gevaar.’

‘Wat betekent dat nu weer?’ vroeg Maartje ongeduldig. ‘Kunt u me niet vertellen wat ik niet moet doen?’

Marnix schudde zijn hoofd. ‘Dat is iedere keer anders. Het ligt er ook aan wie de grot betreedt. Het enige dat ik je kan zeggen is: Luister niet teveel naar je hart.’

Dat wordt moeilijk, dacht Maartje. Daar luister ik altijd naar en meestal loopt het dan juist goed af.

‘Hoe gevaarlijk ook, als Alaida daar is, zal ik ernaartoe moeten gaan,’ zei Maartje vastbesloten. ‘Ik ben de enige die haar nu nog kan bevrijden. Ik heb geen idee waar de anderen zijn. Voor hetzelfde geld zijn ze nog in Bergmes.’ Ze zuchtte diep en voelde zich heel alleen. Hoe moest ze Alaida nu bevrijden uit de gevaarlijke Plugduivengrot, zonder de hulp van haar vrienden?

******

Davino liep gefrustreerd heen en weer. Ze stonden voor de wand van de tovenaarsrots. Net als op de kaart was links van hen een grote stapel rotsen in de vorm van een stoel en rechts een meertje. Hier moest de ingang zijn.

'Weten jullie wel dat deze kaart van Leonardo is geweest?' vroeg hij.

'Wat bedoel je daarmee?' vroeg Elvira.

'Nou, ik zie geen ingang,' zei Davino. 'Jij wel?'

De anderen schudden hun hoofd.

'Alaida kreeg deze kaart van Leonardo,' vervolgde Davino. 'Dat heeft ze ons zelf verteld. Stel nu dat hij toen al ziek was. Dan was hij al argwanend en dacht hij dat ze zijn plek wilde innemen. Misschien heeft hij als wraak deze kaart met een nep geheime ingang aan haar gegeven.'

Achterdochtig keken ze naar de kaart die onschuldig tussen hen in lag.

'Ik kan het me niet voorstellen,' zei Menno na een tijdje. 'Hij kan toch niet in de toekomst kijken? Dus wist hij niet dat Alaida de kaart nog eens nodig zou hebben.'

'Dus jij denkt dat er wel een ingang is,' zei Davino. 'Waar is die dan? We mogen hem wel snel vinden want over een half uur beginnen de gildemeesters met hun afleidingsactie.'

'Zit er geen magie op de kaart?' vroeg Menno. 'Ik kan me voorstellen dat het op de een of andere manier beschermd is tegen ongewenste gebruikers.'

Ook Elvira, Davino en Pauli staarden naar de kaart. Davino schudde na een tijdje zijn hoofd. 'Het was een goed idee Menno, maar ik zie niets.'

Plotseling had Pauli een ingeving.

‘We zijn te veel beschermd,’ zei hij. Enthousiast sprong hij op. ‘We hebben zoveel hangers tegen tovenaarsmagie bij ons, dat we alle tovenaarsmagie weghouden. Maar dat willen we nu niet.’

‘Waarom willen we dat nu niet?’ vroeg Elvira.

‘Omdat de kaart van de tovenaars was,’ zei Pauli triomfantelijk. ‘Ik denk dat Leonardo hem van de tovenaars had. Als we die magie weghouden, kan de kaart ons niets laten zien.’

Pauli deed de hangers die hij om had, af en greep de kaart.

‘Ik ga buiten de invloed van de hangers wel even op de kaart kijken.’ Hij rende weg en keek af en toe op de kaart.

‘Nog niets te zien,’ zei hij teleurgesteld.

‘Als je gelijk hebt, moet je misschien achter die stenen gaan staan,’ stelde Davino voor. ‘Ook al hebben Maartje en de Zwerulaar er allebei zeven meegenomen en zijn we er één kwijtgeraakt aan de herbergier, we hebben hier nog vijfendertig van de vijftig hangers. Dat is krachtige magie. Maar die stenen houden het waarschijnlijk wel tegen.’

Pauli rende achter de stenen stoel.

‘Ja, het werkt!’ riep hij uitgelaten. ‘We zitten op de verkeerde plek.’

‘Wat?’ riep Menno en rende op Pauli af.

‘Blijf daar!’ zei Pauli. ‘Nu verdwijnt het weer.’

Menno liep terug naar de anderen. ‘Waar is de ingang dan?’ vroeg hij.

‘Aan de andere kant van de berg,’ zei Pauli. ‘Ze hebben deze nepingang zo ver mogelijk van de echte ingang gemaakt.’

‘Het is al bijna tijd voor de afleidingsacties,’ zei Elvira. ‘Dat halen we nooit.’

Zo vlug ze konden vervolgden ze het pad om de tovenaarsrots heen.

‘Halt, wie gaat daar?’ klonk een dreigende stem. Een grote man met een flinke knuppel stapte uit de struiken en blokkeerde hun pad. Eerst schrokken ze, maar al snel moesten ze lachen. De man had een belachelijke hoed op die eigenlijk te klein was voor zijn hoofd. Het boomwortelbouwwerk wiebelde op zijn hoofd en bleef nog net hangen op zijn grote zeiloren.

‘Hij hoort bij ons,’ zei Elvira opgelucht. Ze legden uit waarom ze hier waren. De man bracht hen terug naar zijn gildemeester om haar verhaal te controleren. Ze hadden geluk. Het was Axel, gildemeester van de Kamer der voortgang. Niet alleen was hij bij de vergadering in het huis van de gildemeester van de Kamer zonder hamer geweest, hij was ook degene die over het maken van vervoersmiddelen ging. Achter de struiken stonden dan ook verschillende wagens. De karrendieren stonden ernaast.

De gildemeester had aan een half woord genoeg. Vliegensvlug spande hij de karrendieren voor de wagen. Hij sprong op de bok en reed al weg voordat ze goed en wel in de wagen zaten.

‘Zo gaat het toch nog lukken,’ zei Pauli tevreden. Dat ze helemaal bont en blauw geschud werden, maakte hem blijkbaar niet zoveel uit.

Helaas was er onderweg veel oponthoud. Iedere keer dat ze een gildemeester tegenkwamen, moesten ze weer opnieuw uitleggen wat er aan de hand was.

‘Halen we het wel?’ vroeg Menno bezorgd.

Pauli keek op de kaart en schudde gefrustreerd zijn hoofd.

‘Ik weet het niet,’ zuchtte hij. ‘Nu zie ik alleen die oude ingang maar. Dat komt door die hangers.’

‘Hoe weet je dan dat we er nog niet voorbij zijn?’ vroeg Elvira.

‘Het is in ieder geval voorbij die grote boom die uit die rotsspleet groeit.’ Pauli wees schuin omhoog. ‘Daarna moet ik weer even op de kaart kijken.' Hij speurde om zich heen naar een goede plek.

'Daar kan het misschien,' zei Menno. Hij wees naar een groot rotsblok dat verderop lag.

'We moeten stoppen,' zei Menno tegen de gildemeester. Die trok hard aan de teugels en met veel gesnuif en opspattende aarde kwamen de karrendieren direct tot stilstand. Pauli sprong van de wagen en rende achter de rots.

'Er is een tekening, hoog op de rotswand van een groot wit karrendier,' vertelde hij even later hijgend. 'Schuin daaronder is een grot en aan het einde van die grot staat een kruis op de kaart. Ik denk dat daar de ingang is.'

Ze reden verder, turend naar de rotswand. Na een tijdje wees Elvira omhoog.

'Is dat het niet?' vroeg ze. Hoog op de rotswand zagen ze een aantal witte lijnen. Het grootste gedeelte van de lijnen verdween onder een laag planten.

'Zouden die lijnen echt een karrendier vormen?' vroeg Pauli aarzelend. 'Er is niet veel van te zien.'

'Dat is een deel van het been,' wees Elvira. 'En daar zie ik wat lijnen van een staart.'

'Als er een grot is, heb je waarschijnlijk gelijk,' zei Davino. 'Dat is dan net op tijd, want de afleidingsactie start over vijf minuten.'

'Daar is de grot,' schreeuwde Pauli opgelucht. Ze klommen van de wagen en renden de grot in.

'Maar, dit loopt dood,' zei Elvira. 'Weet je zeker dat dit de juiste plek is?'

Menno keek argwanend naar Pauli. Pauli was de enige die deze plek op de kaart had gezien, realiseerde hij zich. Wat als hij ons naar de verkeerde plek heeft gestuurd? Iedere keer als er iets vreemds rond Pauli gebeurde, voelde hij zijn argwaan toenemen.

'Misschien is er een toverspreuk of een sleutelplek,' zei Pauli. Hij leek te voelen dat Menno aarzelde. 'Het is echt hier Menno, wacht maar, ik zal het vinden.'

Steeds fanatieker voelde hij over de rotswand. Hij zocht van onder tot boven, maar kon niets vinden.

'Zie jij magie?' vroeg Elvira aan Davino.

Davino schudde zijn hoofd. 'Ik zie niets.'

'Dat is het,' zei Pauli. 'We zien het niet. Die hangers moeten allemaal de grot uit. Anders zien we de tovenaarsmagie niet. Als dit inderdaad een tovenaarsingang is, dan zorgen de hangers ervoor dat het niet meer werkt.'

Ze deden alle hangers in Davino's rugzak en gaven hem aan de gildemeester die nog buiten stond.

'Komen jullie ze nog ophalen?' vroeg hij.

'Jazeker,' zei Davino. 'We zullen ze in de tovenaarsrots hard nodig hebben om ons te beschermen.'

Pauli hield de kaart voor zich en keek waar de ingang precies zou moeten zijn. 'Op de kaart staat nu een holte in de rotswand van de grot,' zei hij enthousiast. 'Die was er eerst nog niet. Kijk, daar is een holte.' Hij liep er op af en stak zijn hand erin.

'Aargh,' schreeuwde hij, terwijl hij zijn hand terugtrok.

'Wat is er,' zei Davino geschrokken.

'Er zit iets in de holte,' zei Pauli. 'Het kriebelde aan mijn hand.'

Elvira liep naar voren en keek in de holte. 'Ik zie niets,' zei ze. Ze deed haar hand in de holte. 'Ik voel ook niets.'

'Voel je ook geen knop?' vroeg Pauli.

'Nee,' zei Elvira.

'Laat mij nog eens,' Pauli stak zijn hand in het gat. 'Verschrikkelijk, dat kriebelen,' zei hij, maar hij hield zijn hand in de holte op zoek naar een knop.

Kchrrrk

'Wat gebeurt er?' riep de gildemeester van buiten.

'De grot gaat open,' riep Menno terug. Hij staarde naar de opening die in de rotswand was ontstaan. Deze keer leek de rots zich op te lossen om een opening te maken, alsof steen langzaam veranderde in lucht.

'Dit is een opening die we niet open kunnen houden,' zei Menno. 'Dan moeten we weer de tovenaarsrots in, zonder dat we weten hoe we er weer uit kunnen, want de uitgang door de bek van het monster, die we de vorige keer gebruikten, wordt nu vast goed bewaakt.'

'Wij staan bij alle uitgangen om jullie te helpen,' stelde gildemeester Axel hem gerust. 'Hier zijn de hangers, dan kunnen jullie op pad.' Gildemeester Axel liep de grot in.

Kchrrrk

'Hij gaat weer dicht,' waarschuwde Pauli.

Gildemeester Axel deed verschrikt een stap achteruit.

Kchrrrk

'Hij gaat weer open,' zei Elvira.

'Het werkt alleen als de hangers niet in de buurt zijn,' zei Davino. 'We kunnen ze door deze ingang niet mee naar binnen nemen.'

'Dan maar zonder,' zei Menno.

'Dan moeten we extra voorzichtig zijn en zorgen dat we niemand tegenkomen,' zei Elvira. 'Anders nemen ze ons met een verstijvingsspreuk zo gevangen.'

Elvira had gelijk. Zonder hangers om hen te beschermen werd het wel heel gevaarlijk om de tovenaarsrots binnen te gaan. Zeker als de tovenaars aan alle kanten werden aangevallen door de gildemeesters en dus op oorlogspad zouden zijn.

‘Misschien moeten we de afleidingsactie niet doen,’ zei Menno. ‘Dan letten ze vast minder goed op.’

‘Daar is het helaas te laat voor jongen,’ zei gildemeester Axel van buiten de grot. ‘Hoor maar, het is al begonnen.’ In de verte hoorden ze inderdaad gejoel en geschreeuw.

‘Wilt u de hangers voor ons bewaren?’ vroeg Davino.

‘Natuurlijk,’ zei gildemeester Axel. ‘Dus jullie gaan het erop wagen? Heel dapper van jullie. Veel succes!’

‘Kom, we gaan,’ zei Pauli die al binnen stond.

‘Welke kant moeten we op?’ vroeg Elvira. ‘Met deze kaart kunnen we toch zien waar we heen moeten?’

‘Als je weet waar je naartoe wilt tenminste,’ zei Davino. ‘Wat had Maartje ook al weer in de wolken gezien?’

De Plugduivengrot

'Kunnen jullie me vertellen waar de Plugduivengrot is?' vroeg Maartje.

'Het is een moeilijke weg,' zei Torfullio. 'Lastig om uit te leggen. Kon ik maar bewegen, dan bracht ik je erheen.'

'Wacht eens,' riep Maartje enthousiast. 'Ik heb hangers, misschien helpen die.' Ze pakte één van Davino's hangers en deed hem af.

'Dit is een hanger die tegen tovenaarsmagie werkt,' legde ze uit. 'Misschien werkt hij ook tegen jullie betovering.' Ze liep naar Torfullio toe en legde de hanger om zijn nek.

'Kun je al bewegen?' vroeg ze hoopvol.

'Nee, ik merk niets,' zei Torfullio teleurgesteld.

'Dan hebben we er vast meer nodig,' vastberaden pakte Maartje nog twee hangers en hing ze om Torfullio's nek.

'Ik voel nog niets,' zei Torfullio.

'Maar ik zie wel iets,' riep Maartje enthousiast. 'Kijk, je wenkbrauw beweegt een beetje. Hier zijn er nog meer.' Nadat ze bij Torfullio alle zeven hangers om zijn nek had gedaan, kon hij voorzichtig een stap zetten. Hij leek wel een stijve robot, maar hij kon tenminste bewegen.

'Meer heb ik er niet,' verontschuldigde Maartje zich. 'Ik kan dus maar één van jullie helpen.'

'Maar dan tover ik iedereen toch weer beter,' riep Torfullio triomfantelijk. Langzaam en krakend tilde hij zijn arm omhoog en wees naar Puntsnor terwijl hij een spreuk mompelde.

Er gebeurde niets.

Torfullio probeerde het nog een keer.

Weer niets.

‘Ik denk dat de hangers ook jouw toverkracht uitschakelen,’ zei Maartje zachtjes. ‘Jij bent tenslotte ook een tovenaar.’

Moedeloos liet Torfullio zijn arm weer zakken. ‘Dan kunnen wij je ook niet beschermen. Het enige dat wij kunnen doen is de weg wijzen. Ik kan alleen lopen met alle hangers, dus dan ben jij onbeschermd. Misschien moeten we toch proberen om de weg uit te leggen.’

‘Toen ze die Gulsti zochten, zijn ze ook verdwaald en opgepakt,’ zei de schreeuwende tovenaar. ‘De Plugduivengrot is veel moeilijker te vinden. Dat lukt nooit zonder gids. Of durf je niet zonder hanger?’ vroeg hij aan Maartje.

‘Natuurlijk durf ik wel,’ zei Maartje zonder nadenken.

‘Nu vooruit, dan gaan we maar,’ zei Torfullio. Krakend en schurend zette hij zijn ene been voor het andere en langzaam gingen ze op weg. ‘Tot ziens vrienden, we gaan weer proberen Sinistro dwars te zitten!’

Onder luid gejuich van de andere 28 versteende helden, schuifelde Torfullio de gang uit. Het vogeltje kwetterde op zijn schouder en Maartje liep achter hem aan.

Na eindeloos schuifelen, waarbij ze zo vaak links en rechts waren gegaan dat Maartje de weg volledig kwijt was, bleef Torfullio zo plotseling staan, dat Maartje tegen hem opbotste. Nog net kon ze een kreet van schrik inhouden.

‘Pas op, tovenaars,’ hoorde Maartje Torfullio’s stem in haar hoofd. Ze kroop achter Torfullio die stokstijf stil bleef staan en net deed of hij nog steeds een standbeeld was.

‘Hè, wat doet die hier?’ snauwde een stem. ‘Ik had toch gezegd dat alle standbeelden verwijderd moesten worden? Wie was daar verantwoordelijk voor?’

‘Waldi en Wiets waren verantwoordelijk, Groot-Swarov,’ antwoordde een andere stem. ‘Ik zal ze vertellen dat ze nog niet klaar zijn.’

‘Ze hebben geluk dat ze hier niet zijn, Maro,’ gromde Sinistro. ‘Ik heb zin om iets te vernietigen. Misschien dan maar dat vervelende beeld.’

Maartje hield haar adem in. Ze stond op het punt om tevoorschijn te springen en Torfullio te beschermen.

‘Je weet dat je ze niet kunt vernietigen,’ klonk Maro’s kalme stem. Dat heb je al vaker geprobeerd en bovendien hebben we daar nu geen tijd voor. We worden aangevallen! Kom, we moeten zorgen dat de toverspreuken in de Noordelijke gangen versterkt worden.

Met een grom draaide Sinistro zich om en stampte de gang uit.

‘Jij! Je hebt gehoord wat de Groot-Swarov heeft gezegd,’ beval Maro. ‘Zorg dat Waldi en Wiets dit beeld onmiddellijk weghalen. Anders zullen ze het niet overleven.’

Maartje luisterde naar de zich verwijderende voetstappen van de tovenaar die Waldi en Wiets ging waarschuwen. Al spoedig waren ze weer helemaal alleen in de gang.

‘Wat zullen we doen?’ vroeg ze.

‘We moeten hier weg zien te komen,’ zei Torfullio. ‘Die Waldi en Wiets zullen hun benen uit hun lijf rennen als ze horen dat Sinistro boos op ze is. We hebben niet veel tijd.’

Zo snel ze konden schuifelden ze richting de Plugduivengrot.

‘We zijn er bijna,’ zei Torfullio. ‘Alleen weet ik niet hoe ik de grot open moet maken, nu ik niet meer kan toveren.’

‘Wat zie ik daar?’ hoorde Maartje een stem zeggen. Ze kon zich opeens niet meer bewegen.

‘Kijk nu eens, Wiets, dat is niet alleen een standbeeld van een tovenaar, maar er staat ook een indringer naast.’

‘Ik zie het ook, Waldi,’ antwoordde Wiets. ‘We hebben geluk, want hiermee kunnen we Sinistro vast weer gunstig stemmen.’

‘Wat zullen we met haar doen?’ vroeg Waldi.

‘Wat dacht je van de Plugduivengrot?’ antwoordde Wiets. ‘Daar zijn we nu vlakbij en daar zit toch al een gevangene in.’

‘Goed plan, Wiets, jij bent toch wel de slimste tovenaar die ik ken,’ vond Waldi. ‘Hoeven we straks ook maar één grot schoon te maken.’

Ze grepen Maartje vast en sleepten haar met grote vaart door de gang. Ze keken niet om naar Torfullio, want anders hadden ze hem wanhopig achter hen aan zien schuifelen. Maartje zag hem wel. Ook zag ze het vogeltje in de verte wegvliegen.

‘Denk aan je hart,’ galmde Torfullio’s stem in haar hoofd en toen was hij om de hoek verdwenen.

‘Hupsakee, daar zijn we al,’ riepen Wiets en Waldi even later in koor.

Voor Maartje doorhad wat er gebeurde, werd ze door een deur een grot in gegooid. Kreunend kwam ze hard op haar knieën terecht. Ze kreeg sterretjes voor haar ogen van de pijn en kon niet goed zien waar ze terecht was gekomen. Met een enorme knal sloeg de deur dicht en opeens kon ze het triomfantelijke gelach van Waldi en Wiets niet meer horen.

‘Dit was niet helemaal de manier die ik voor ogen had toen ik zei dat ik naar de Plugduivengrot wilde,’ mompelde ze. ‘Maar goed, ik ben er nu en met een beetje geluk is Alaida de andere gevangene.’

Langzaam wenden haar ogen aan het duister en kon ze haar gevangenis wat beter bekijken. Ze zat aan het begin van een lange gang. Ze keek omhoog en het leek net of de muur bewoog.

'Wat is dat nu?' vroeg ze. Maar er was niemand die haar antwoord kon geven. Ze ging staan en bekeek de muur van de gang van dichtbij.

'Dat lijken wel vogels,' riep ze uit.

'Vogels, vogels,' galmde het na in de gang.

Maartje boog zich steeds verder naar voren tot ze met haar neus vlak bij de muur stond. Het waren inderdaad vogels, maar wat voor soort, wist ze niet. Dat kwam doordat ze alleen de achterkant van de vogels kon zien. Ze zaten met hun kop in de muur, alsof ze door een gat naar de andere kant keken. Voorzichtig strekte ze een hand uit en raakte de achterkant van één van de vogels aan.

'Iiiiiehhh,' gillend trok ze haar hand terug. De vogel had bewogen en van schrik op haar schoen gepoept!

'Hier blijf ik verder maar van af,' zei ze geschrokken. 'Er is hier iets raars aan de hand en ik doe niets voor ik begrijp wat dat is. Marnix zei niet voor niets dat ik niet naar mijn hart moest luisteren. Dat heeft vast iets met die vogels te maken.'

Zonder verder nog naar de vogels te kijken, liep ze de gang in, op zoek naar Alaida.

******

'Goed, we zijn binnen,' zei Menno. 'Wat nu?'

Pauli staarde op de kaart. Het was een goede kaart. Alle gangen stonden erop en op veel plekken stonden ook de namen.

‘Hier staat: “Koningszaal”,’ zei Pauli, terwijl hij op een zaal heel diep in de tovenaarsrots wees.

‘Daar moeten we maar ver vandaan blijven,’ stelde Elvira voor. ‘Daar is Sinistro vast en we hebben geen hangers meer bij ons.’

‘Staan de standbeelden ook op de kaart?’ vroeg Davino.

‘Nee helaas, alleen gangen en grotten,’ antwoordde Pauli. ‘Wel rare namen trouwens. Hier de “Afsluitbare grotten”, en “de Veranderzaal”, “de Ceremoniekamer” en hier een hele gekke, “de Plugduivengrot”.

‘Ik denk dat we naar de Afsluitbare grotten moeten,’ zei Menno. ‘Daar sluiten ze hun gevangenen op.’

‘Maar daar hebben we Tjanda en Niranja al eens uit bevrijd,’ merkte Davino op. ‘Denk je dat ze die weer gebruiken?’

‘Alaida zit toch ook in een gouden kooi?’ zei Menno. ‘Misschien denken ze dat dat genoeg is.’

‘Dus, wat doen we?’ vroeg Pauli. ‘We zijn best ver van die Afsluitbare grotten. Zullen we maar op pad gaan?’

Na een flinke tijd lopen, zag Menno een bekende vorm op de grond. Hij keek eens goed om zich heen en zag een afdruk van de zool van zijn eigen gymschoen, voor zich in het zand.

‘Wel verdraaid,’ riep hij. ‘We lopen rondjes!’ Boos draaide hij zich om naar Pauli. ‘Laat je ons in cirkels rond lopen?’

‘Welnee,’ zei Pauli. ‘Kijk, we lopen helemaal goed.’

‘Je bent de boel aan het bedonderen,’ riep Menno woedend.

‘Kalm, stil nu toch,’ fluisterde Elvira. ‘Straks horen de tovenaars ons nog.’

Maar Menno wilde niet meer luisteren en sprong boven op Pauli. Weer rolden ze vechtend over de grond.

‘Ze maken het ons wel erg makkelijk, vind je niet, Waldi?’ klonk een gemene stem.

‘Heerlijk als het leven meezit nietwaar, Wiets?’ antwoordde Waldi.

Menno zat nog op Pauli, met zijn hand hoog boven zijn hoofd om hem eens een flinke klap te geven. Alleen kon hij zich niet meer bewegen. Pauli wriemelde zich als een worm onder Menno vandaan.

‘Kijk stomme oelewapper,’ brieste Pauli. ‘Dat komt er nu van. Door jouw getoeter zijn we ontdekt.’

‘Hé, dat is vreemd, Wiets,’ zei Waldi. ‘Je spreuk werkt niet bij hem. Nou ja, dan moet het maar op de ouderwetse manier.’ Hij balde zijn vuist en gaf Pauli een enorme klap. Pauli zakte als een zandzak in elkaar. De anderen waren volledig verstijfd en konden niets doen om hem te helpen.

Wiets sleepte Menno door de gang en Waldi droeg de slappe Pauli over zijn schouder.

‘Dit gaat goed,’ zei Waldi tevreden. ‘Vijf minuten werk en vijf gevangenen. Sinistro zal tevreden zijn.’

‘Ja,’ zei Wiets. ‘Bovendien hebben we geluk, want iemand anders heeft dat beeld al weggehaald. Dat scheelt ons weer een heleboel werk.’

Menno voelde dat hij met een grote boog door de lucht vloog en met een klap op iets zachts terecht kwam. Dat zachte was Pauli, die nog steeds buiten westen was. Niet lang daarna ging de deur naar de gang weer open en werden Davino en Elvira naar binnen gegooid. Met een klap ging de deur weer dicht. Langzamerhand kon Menno zich weer bewegen. Tegelijkertijd kwam Pauli kreunend bij.

‘Wat was dat nu weer voor een actie,’ zei Pauli beschuldigend tegen Menno. ‘Waarom heb je me aangevallen?’

‘Je hebt ons in rondjes laten lopen,’ zei Menno boos.

‘Hoe kom je daar nu toch bij?’ vroeg Pauli verbaasd. ‘We waren nog maar net begonnen met lopen.’

‘Ik zag mijn eigen voetsporen,’ antwoordde Menno. ‘Hoe komen die daar anders?’

‘Misschien ben je er al eens geweest?’ bedacht Pauli.

Daar moest Menno even over nadenken. Pauli had gelijk, ze waren nog maar net begonnen aan hun tocht door de grot. Dan was het onmogelijk om al een rondje gelopen te hebben. Maar hoe kon het dan? Na even nadenken, was hij eruit.

‘Dat waren natuurlijk voetsporen van de vorige keer,’ zei hij bedachtzaam.

‘Het was fijn geweest als je dat eerder had bedacht,’ zei Elvira spottend terwijl ze zich voor het eerst weer een beetje bewoog.

‘Zeg dat wel,’ zei Davino, die zich ook weer kon bewegen. ‘Dan waren we hier nu niet geweest.’

Menno keek beschaamd naar zijn schoenen, alsof die de schuld hadden, maar helaas, het lag echt aan hem.

‘Sorry Pauli,’ zei hij zacht. ‘Ik heb niet goed nagedacht. Ik weet niet wat er met me aan de hand is. Normaal ben ik niet zo wantrouwend.’

‘Ach, wat is er met jou gebeurd,’ hoorde hij Elvira zeggen met een lief stemmetje dat hij haar nog nooit had horen gebruiken.

‘Wat?’ zei hij verward. ‘Ik, uh, ik uh, niets eigenlijk,’ stamelde hij.

‘Niet jij,’ zei Elvira kattig. ‘Maar jij hè schatje, zit je hoofdje vast? En jij ook al? Kom maar bij Elvira, ik zal je wel bevrijden.’

Ze stak haar handen uit naar de muur en pakte iets met twee handen beschermend vast.

‘Wat doe je?’ vroeg Davino.

Maar Elvira gaf geen antwoord en draaide met haar handen heen en weer, totdat iets met een luide plof losschoot.

'Hier, hou vast,' zei Elvira, terwijl ze een grijsblauw vogeltje met een knalrode kop aan Menno gaf.

'Wat is dat?' vroeg Menno.

'Dat is een duif,' zei Elvira. 'Er zitten allemaal duiven vast in de muur. Dat hebben die gemene tovenaars vast gedaan. Schandalig! Kom we gaan ze bevrijden.'

'Zou je dat nu wel doen?' vroeg Davino aarzelend. 'Je weet niet waarom ze ....'

Hij stopte midden in zijn zin, omdat Pauli luid protesteerde.

'Hé, Héee, stoppen met dat water!' Uit de muur spoot een klein straaltje water recht in zijn gezicht. 'Wat zijn dat voor geintjes? Doe jij dat Elvira?' vroeg Pauli verontwaardigd.

Elvira keerde zich naar hem om. In haar handen hield ze nog twee duiven. Ze keek naar het kleine beetje water dat nu onschuldig langs de muur druppelde.

'Ik? Welnee, waarom zou ik dat doen?' vroeg ze verbaasd. 'Ik ben te druk met het redden van de duiven.' Ze zette de duiven op de grond en draaide zich weer naar de muur om nog meer vogels los te maken.

'Maar waar komt dat water vandaan?' vroeg Menno.

'Stil eens, wat hoor ik?' zei Davino.

In de verte hoorden ze rennende voetstappen dichterbij komen.

'Halt, wie is daar?' riep Pauli.

'Ik ben het,' riep Maartje hijgend. 'Elvira, blijf van de vogels af, het is een val!!!'

Met open mond stond Elvira haar aan te kijken. In haar handen nog twee vogels.

‘Hoeveel vogels heb je al uit de muur gehaald?’ vroeg Maartje dringend.

‘Hè, waar kom jij nu vandaan?’ vroeg Elvira.

‘Maartje, je bent OK!’ Menno was zo opgelucht dat hij Maartje in zijn armen nam en haar lachend in het rond draaide. Davino en Pauli stonden elkaar enthousiast op de schouders te kloppen. Na twee rondjes zette Menno Maartje weer neer.

Splash!

Menno had Maartje middenin een grote plas gezet en het water spatte hoog op.

‘Gatsie,’ riep Pauli. ‘Nu word ik alweer nat. Waar komt toch dat water vandaan?’

‘Dat probeerde ik te zeggen,’ zei Maartje weer ernstig. ‘Marnix heeft me gewaarschuwd dat deze grot ook wordt bewaakt door water. Hij zei ook dat ik niet naar mijn hart moest luisteren.’ Ze keek naar Elvira die nog steeds met twee duiven in haar hand stond. De diertjes keken haar nieuwsgierig aan en hielden hun rode kopjes scheef.

‘Hij had gelijk,’ ging ze verder. ‘Kijk maar.’ Ze wees naar de muur. Naast Elvira zaten twee gaten in de muur, waaruit een straaltje water droop.

‘Dat is toch niet zo indrukwekkend?’ vond Pauli. ‘Bovendien, wie is die Marnix? Kunnen we die wel vertrouwen?’

‘Marnix is één van de versteende helden,’ antwoordde Maartje. ‘Als die niet te vertrouwen zijn, dan weet ik het ook niet meer. Hij zei dat het water meeverdedigt en toen zei Torfullio dat het een gevaarlijke grot is, omdat de gevangene kan verdrinken.’

‘Kijk, het water gaat sneller stromen,’ waarschuwde Menno.

Geschrokken keken ze naar de gaten in de muur, waar het water nu met kracht uitspoot.

Hulp van binnenuit

‘Zei je nu net dat de gevangene kan verdrinken in deze grot?’ vroeg Davino.

Maartje knikte.

‘Maar, dat zijn wij,’ bedacht Pauli.

‘Ja,’ zei Maartje. ‘Maar wij niet alleen. Deze gang leidt naar een grot met een hoog plafond. Daar staat de gouden kooi van Alaida op een verhoging. Alaida is er slecht aan toe. Ze heeft maar één ding gezegd toen ze me zag.’

‘Wat was dat dan?’ vroeg Davino.

‘Ze zei: “Jij kunt het niet”,’ antwoordde Maartje. ‘Ik denk dat ze het over het openmaken van de kooi had.’

‘We moeten het water stoppen,’ zei Elvira.

‘Stop gewoon die vogels terug,’ stelde Pauli voor.

‘Ben je helemaal betoverd?’ vroeg Elvira verontwaardigd. ‘Ik heb ze net gered.’ Snel gooide ze de vogels de lucht in en luid kwetterend vlogen ze verder de gang in.

‘Terugstoppen helpt trouwens niet, want ze kunnen zich nu zelf bevrijden,’ zei Menno. Hij wees naar de muur, waar steeds meer duiven gaten achterlieten en rondvlogen. ‘Je hebt denk ik iets in gang gezet.’

‘Wat moeten we dan doen?’ vroeg Pauli. ‘Ik wil liever niet verdrinken.’

‘We moeten de gaten dicht stoppen,’ zei Davino. ‘Daar heeft Pauli gelijk in. Maar misschien niet met die vogels.’

‘Zo kan het.’ Elvira had haar vinger in een gat gestopt en ze hield inderdaad bijna al het water tegen.

‘Ik help wel,’ zei Maartje. ‘Ik kan de kooi toch niet openkrijgen. Hier, neem jij mijn medaillon maar, dan kunnen jullie het proberen.' Ze gaf Menno het medaillon dat ze van haar vader had gekregen.

'Weet je het zeker?' vroeg Menno onder de indruk. Hij wist hoe belangrijk dat medaillon voor Maartje was.

'Jazeker, ik weet dat je er goed op zult passen,' zei Maartje vol vertrouwen. 'We kunnen niet allemaal naar Alaida gaan, want we moeten het water tegenhouden. Bovendien, toen we het met z'n allen probeerden, maakte ik een reis door de aarde. Dat wil ik echt nooit meer!'

'Schiet nu maar op,' zei Elvira. 'Ik kan niet alle gaten dichthouden en het gaat steeds sneller stromen.'

Menno, Davino en Pauli renden naar de kooi. Die stond op een verhoging in een ruimer deel van de grot. Hier eindigde de grot. De gang met de plugduiven was de enige uitgang en daar stroomde nu steeds meer water in.

In het midden van de kooi zat Alaida, helemaal in elkaar gedoken. Ze had een lege blik in haar ogen en leek helemaal uitgeput.

'Alaida, wij zijn het,' riep Menno. 'We gaan proberen om u te bevrijden. Weet u hoe we de kooi open moeten krijgen, zonder dat hij weer verdwijnt?'

Ze reageerde niet.

'Hallo Alaida,' zei Pauli.

Langzaam kwam Alaida's hoofd omhoog.

'Het kind dat op de scheidslijn staat,' zei Alaida zacht. Haar stem kraakte als een oude deur die veel te lang niet gesmeerd was.

'Wat zegt ze?' vroeg Davino. Hij was vlak voor de verhoging blijven staan om daar ook een aantal gaten dicht te houden.

'Ze is de draad een beetje kwijt,' zei Pauli. 'Ze zegt rare dingen.'

‘Wat zegt ze dan?’ vroeg Davino. ‘Misschien weet ik wat ze bedoelt.’

‘Ze zegt: “Het kind dat op de scheidslijn staat”,’ zei Menno.

‘Het kind dat op de scheidslijn staat,’ zei Davino. ‘Verbindt in zich het goed en kwaad. Dat komt uit de voorspelling van koningin Tansia. Waarom zou Alaida dat zeggen?’

Menno en Pauli keken weer naar Alaida, die met veel moeite haar arm ophief en met een trillende vinger naar Pauli wees.

‘Wat bedoelt ze nu toch?’ zei Pauli verward.

‘Jij,’ kraakte Alaida.

‘Jij moet het doen, Pauli,’ zei Menno. ‘Ik vroeg haar hoe we de kooi open moesten maken. Dit is haar antwoord.’ Hij gaf hem Maartjes medaillon.

‘Maar, wat als ik het weer verpest?’ zei Pauli.

Even flitsten de acties van Pauli door Menno’s hoofd. Het boze stampen, trappen en duwen en het ongeduld dat hen zo vaak in de problemen had gebracht. Hij keek Pauli aan en nam een besluit.

‘Jij moet het doen,’ herhaalde hij. ‘Wij rekenen op je.’

Bij die woorden leek Pauli te groeien. Trots keek hij naar zijn vrienden.

‘Ik zal jullie vertrouwen niet beschamen,’ zei hij. ‘Ik kan dit.’

‘Maar dan wel snel,’ kreunde Elvira.’Ik sta al tot mijn knieën in het water en de druk van het water wordt steeds groter. Het lijkt wel of het weghalen van de vogels een sluis open heeft gezet.’

Maartje zag dat Elvira naast haar als als een soort kletsnatte bergbeklimmer op één been tegen de rotswand stond geplakt. Met haar vingers hield ze wel drie gaten dicht en met haar linkerknie een vierde. Maar het was als dweilen met de kraan open. Om hen heen ontstonden steeds meer gaten en het water stroomde steeds harder.

‘Vlug, je moet het *nu* doen!’ zei Maartje gespannen. Ook zij stond zoveel mogelijk gaten dicht te houden. De druk van het water was nu zo groot, dat haar hand en knie losschoten. Ze verloor haar evenwicht en viel pardoes op haar billen. Alleen haar hoofd kwam nog boven het water uit.

‘We houden het niet meer,’ schreeuwde Davino. ‘Iedereen moet naar de verhoging. ‘Pauli, schiet op anders verdrinkt Alaida.’

Pauli aarzelde niet langer. Hij stapte naar voren en duwde Maartjes medaillon tegen de sleutelplek. Er ontstond een deur, maar tegelijkertijd begon de kooi ook weer te vervagen.

‘Het gebeurt weer,’ riep Pauli in paniek. ‘De kooi verdwijnt.’ Hij begon het medaillon terug te trekken.

‘Niet terugtrekken,’ gilde Menno. ‘Houdt hem ertegenaan en open de deur. Anders doen we weer precies hetzelfde als vorige keer.’

Gelukkig luisterde Pauli. Hij duwde het medaillon steviger tegen de sleutelplek. Met zijn andere hand trok hij aan de tralies van de deur. De deur zat vast! Pauli verzamelde al zijn kracht en rukte aan de deur. Na een laatste stevige ruk, vloog de deur open en Pauli viel achterover van het platform in het water. Proestend sprong hij weer uit het water omhoog, Maartjes medaillon triomfantelijk in zijn hand.

‘Het is helemaal goed gegaan,’ juichte hij opgelucht.

‘Nou ja, helemaal,’ zei Elvira bezorgd, terwijl ze naast Maartje en Davino op de verhoging klom en om zich heen keek. Het water stond nu zo hoog in de gang dat ze moesten zwemmen. ‘Nog even en we komen hier niet meer weg. Met mijn redding van de duiven, heb ik ons in grote problemen gebracht.’

Menno en Davino hielpen Alaida uit de kooi. Ze moesten haar ondersteunen, zo zwak was ze geworden van haar tijd tussen de betoverde gouden tralies. Ze had duidelijk niet genoeg kracht om zelf te staan. Wat als ze straks moest zwemmen? vroeg Menno zich bezorgd af.

'We moeten de deur naar de grot open zien te krijgen,' zei Maartje. 'Anders kan het water niet weg.' Zonder af te wachten wat de anderen daarover te zeggen hadden, pakte ze haar medaillon van Pauli terug en dook onder water.

Halverwege de gang die naar de deur leidde, kwam ze weer boven. Het water kwam ondertussen bijna tot het plafond en ze kon nog net haar hoofd boven water brengen en ademhalen. Ze zwom naar de deur en dook naar beneden.

'Ik kan de sleutelplek niet vinden,' riep ze, nadat ze voor de tiende keer weer boven was gekomen. 'Van deze kant kan de deur niet open!'

'We zitten in een dodelijke val,' zei Davino benauwd.

Pauli trok wit weg. 'Zou dit de voorspelling van Knoest zijn?'

Ook Menno dacht bezorgd aan het doodshoofd.

Maartje haalde nog een keer diep adem en dook onder water om de sleutelplek te zoeken. Het water op de verhoging was ondertussen al tot hun middel gestegen. Gelukkig was er in dit hoge gedeelte nog voldoende ruimte. Dat gold niet voor de gang. Bezorgd zag Menno dat er geen ruimte meer in de gang was, waar Maartje nog adem kon halen. Dat had ze vast niet in de gaten.

'Ik moet Maartje helpen,' zei hij en sprong van de verhoging af. Op dat moment voelde hij hoe het water steeds harder aan zijn lichaam trok. Hij werd met een gigantische vaart de gang in gezogen. Menno knalde tegen de muur van de gang en verdween onder water. Daar werd hij draaiend voortgesleurd. Het werd steeds moeilijker om zijn adem in te houden. Hij kreeg het steeds benauwder. Hij moest ademhalen! Net toen hij het niet meer uit kon houden en dreigde het bewustzijn te verliezen, schoot hij de deur door en was er lucht. Met een knal kwam hij op de grond neer. Hij gleed door en kwam tegen de muur tot stilstand. Verdoofd bleef hij zitten. Naast hem ploften de anderen neer als natte lappenpoppen.

'Maartje, het is je gelukt,' riep Elvira, die het eerst weer bij haar positieven kwam.

'Ongelooflijk,' zei Davino, terwijl hij het water uit zijn oren schudde.

'Ik was het niet,' zei Maartje, terwijl ze naar de anderen terugliep. 'Ik was aan het zoeken naar de sleutelplek en de deur ging opeens open. Ik werd door het water helemaal meegesleurd de gang in.'

'Maar wie heeft de deur dan opengemaakt?' vroeg Menno.

'Alaida, was u dat?' vroeg Davino. Alaida schudde haar hoofd.

'Daar ben ik nu niet sterk genoeg voor,' zei ze. Maar ze stond wel zelf op. Nu ze niet meer in de gouden kooi zat, leek ze iets van haar kracht terug te krijgen.

'Tsjilp,' klonk het verderop in de gang.

Menno keek op. Daar stond een natte tovenaar, die hem bekend voorkwam.

'Hé, is dat?' vroeg hij verbaasd. 'Dat lijkt wel...'

'Torfullio,' zei Maartje. 'Heb jij de deur opengemaakt?'

Torfullio schudde zijn hoofd.

'Hoe kan dit nu?' vroeg Davino. 'Hij was toch versteend?'

'Ik heb hem jouw hangers gegeven en nu kan hij zich bewegen,' antwoordde Maartje.

‘Heb jij die gemaakt?’ vroeg Torfullio. ‘Heel knap van je. Het is een heel krachtige magie die verstening kan doorbreken. Heel erg bedankt.’ Hij liep krakend naar voren en omhelsde Davino.

‘Ik zie dat het nog niet helemaal gelukt is,’ zei Elvira, die verbaasd naar de stijve bewegingen van Torfullio keek.

Ze waren zo met Torfullio bezig dat ze de mooie, kletsnatte vrouw die schuin achter Torfullio in de schaduw stond, niet opmerkten. De vrouw stapte naar voren. Op haar schouder zat het prachtige vogeltje. Pauli staarde haar aan.

‘Mama?’ zei hij ongelovig. ‘Ben jij het echt?’

‘Ja lieverd, ik ben het,’ zei de vrouw.

‘Het is koningin Doeblia,’ fluisterde Davino. ‘Ongelooflijk.’

‘Maar, maar, je was toch dood?’ stotterde Pauli. Je kon zien dat hij het nog steeds niet durfde te geloven. Voorzichtig strekte hij een hand uit om zijn moeder aan te raken.

‘Je bent echt,’ fluisterde hij. ‘Ik dacht dat ik gedroomd had in Bergmes. Maar daar was je ook hè?’

Zijn moeder knikte.

‘Hebt u de deur opengemaakt?’ vroeg Davino. De koningin knikte weer.

‘Dit mooie vogeltje kwam naar me toe gevlogen,’ vertelde koningin Doeblia. ‘Ze bleef maar heen en weer vliegen, tot ik achter haar aankwam. Ik zag dat het een Ayuda-vogeltje was en wist dat iemand van mijn familie in nood was. Vlak bij de Plugduivengrot kwam ik jullie vriend Torfullio tegen. Die heeft me uitgelegd wat er aan de hand was en toen heb ik de deur opengemaakt.’ Ze keek naar haar zoon. ‘Alleen had ik niet verwacht dat jij het zou zijn,’ vertelde ze. ‘Ik dacht dat je in Bergmes was.’

'Daar was ik ook,' zei Pauli. 'Maar Alaida verdween en Maartje ook, dus zijn we hier naartoe gegaan.'

'Maar wacht eens, als je in Bergmes was, dan was je bij de tovenaars die Alaida gevangen hebben genomen,' bedacht Pauli. 'Heb je hen dan geholpen? Hoe kun je dat nu doen? Mystica is bijna in oorlog!' Hij keek zijn moeder aan alsof hij op een goede verklaring voor haar gedrag hoopte.

De koningin keek hem verdrietig aan. 'We moeten hier snel weg,' zei ze. 'Ik heb geen tijd om het allemaal uit te leggen. Het duurt niet lang voor de andere tovenaars hier zijn. Ze hebben vast gevoeld dat de deur open ging. Volg mij.'

De koningin draaide zich om en liep half rennend voor hen uit. In de verte hoorden ze inderdaad de woedende stemmen van tovenaars.

'Kunnen we haar vertrouwen?' vroeg Menno aan Torfullio. 'Volgens mij is ze een tovenaar.'

Die haalde zijn schouders op. 'Ach, dat zegt niet alles, kijk maar naar mij en mijn vrienden. Bovendien denk ik dat we geen keus hebben.'

Haastig liepen ze achter koningin Doeblia aan, die al om de hoek verdwenen was. Ze liepen door, tot ze in een doodlopende grot aankwamen. Verschrikt keken ze om zich heen. Had koningin Doeblia hen toch in de val gelokt?

'Hier kunnen jullie door naar buiten,' zei koningin Doeblia. 'Ik kan de uitgang maar kort openhouden met deze oude magie, dus jullie moeten snel zijn.'

Ze stak haar handen naar voren en mompelde iets. Langzaam verscheen er een opening in de rotswand. Elvira en Davino gingen als eersten met Alaida door de uitgang. Ook Torfullio stapte richting de uitgang.

‘Ik denk dat ik maar meega,’ zei hij. ‘Misschien vind ik buiten de tovenaarsrots een manier om de versteningsbetovering te verbreken.’

‘Mam, ga je mee?’ vroeg Pauli hoopvol. Ze schudde haar hoofd.

‘Vaarwel Pauli,’ zei koningin Doeblia. ‘Weet dat ik heel veel van je hou.’

‘Maar waarom kies je voor Sinistro en niet voor papa? Voor ons?’ riep Pauli gefrustreerd.

‘Ik kan niet anders,’ antwoordde zijn moeder zacht.

‘Wees voorzichtig, pas op voor Ca…

Maar Pauli luisterde al niet meer. Boos stampte hij weg, de geheime uitgang door, zonder nog om te kijken.

Maartje keek wel om. Ze zag hoe de koningin snel een traan van haar wang veegde en moedeloos haar schouders liet hangen. Waarom zou ze toch voor Sinistro kiezen? vroeg Maartje zich af. En waar wilde ze Pauli voor waarschuwen? Ze wilde het net vragen toen Menno haar meetrok.

‘Maartje, kom, we moeten achter Pauli aan. Ik hoor de andere tovenaars al komen.’

Ze draaide zich om en rende achter Pauli en Menno aan. Achter zich hoorde ze de stem van koningin Doeblia.

‘Nee, hier zijn ze niet geweest.’

‘Je houdt me toch niet voor de gek?’ klonk de dreigende stem van Sinistro.

Het antwoord van Pauli’s moeder kon Maartje niet meer horen. De koningin had de geheime deur geruisloos gesloten.

Bittere vreugde

Maartje en Menno renden door de tunnel. In de verte zagen ze licht.

'Daar is de uitgang,' fluisterde Menno.

'Waar zijn de anderen?' vroeg Maartje. 'Zijn ze al naar buiten gegaan?'

Ze gingen aarzelend langzamer lopen. Wat als het toch een valstrik was en er tovenaars aan het einde van de tunnel stonden!

'Een tovenaar, een tovenaar,' hoorden ze een onbekende stem zeggen. 'Pak hem!'

'Nee, laat me los,' hoorden ze een bekende stem. 'Jullie begrijpen het verkeerd.'

'Is dat niet de stem van Torfullio?' zei Menno.

'Volgens mij ook,' zei Maartje. 'Wat is daar aan de hand?'

'Neeeeee, niet de hangers,' hoorden ze Torfullio schreeuwen.

Toen klonk het in hun hoofd: 'Verdorie, nu zie ik er net uit als Jamie. Het is echt onverstandig om woedend te schreeuwen als je versteent.'

'Ze hebben Torfullio's hangers afgepakt,' fluisterde Maartje in Menno's oor.

Menno knikte. 'Ze denken dat hij een tovenaar is.' Hij dacht even na. 'Dat is hij natuurlijk ook. Moeilijk om te zien dat hij een goede tovenaar is. Maar waarom zeggen de anderen niet dat hij bij ons hoort?'

Voorzichtig slopen ze naar de uitgang en keken om de hoek.

Het eerste dat ze zagen was het woedende gezicht van Torfullio. Geschrokken deinsden ze terug.

'Waarom staan die boze standbeelden toch altijd net om de hoek?' fluisterde Maartje. 'Ik schrik me een ongeluk.'

‘Sorry,’ klonk Torfullio’s stem in hun hoofd. ‘Ik stond hier liever ook niet.’

‘Geen zorgen,’ fluisterde Menno. ‘We krijgen die hangers wel terug. Waar zijn de anderen en waarom leggen ze niet uit hoe het zit?’

‘Ze zijn gevangen genomen,’ vertelde Torfullio.

‘Wat!’ Menno vond dat zo oneerlijk dat hij vergat te fluisteren.

‘Ssst’ zei Maartje. Ze gaf hem een por met haar elleboog.

‘Waarom?’ vroeg ze zachtjes aan Torfullio.

‘Het waren mannen met grote hoeden van takken en struiken,’ zei Torfullio. ‘Daarom zagen we ze eerst ook niet. Ze zagen ons en riepen: “Ze zijn onder de invloed, pak ze!” Voor we konden reageren, besprongen ze ons en grepen ze mijn hangers. Ik kon helaas niet meer zien waar ze de anderen naar toe brachten. Maar ik hoorde ze nog wel “gildemeester” zeggen.’

Voorzichtig keek Maartje om Torfullio heen. In de verte zag ze een groep mannen die opgewonden stonden te schreeuwen.

‘Het is vast die Janus weer,’ zei Menno. ‘Wat is dat een driftkikker.’

‘Wat kunnen we doen?’ vroeg Maartje. ‘Als ze denken dat we onder de invloed van de tovenaarsmagie zijn, geloven ze ons vast niet. Wat we ook zeggen.’

Ze staarden peinzend voor zich uit.

‘Hé, kijk daar eens,’ zei Menno. ‘Is dat niet gildemeester Axel?’

‘Wie is dat?’ vroeg Maartje.

‘Dat is de gildemeester die ons naar de geheime ingang van de tovenaarsrots heeft gebracht,’ antwoordde Menno. ‘Wacht, ik roep hem wel even.’

'Weet je het ...' begon Maartje, maar ze kon haar zin niet afmaken. Menno riep al zo hard hij kon naar de gildemeester.

'Gildemeester Axel, wij zijn het.'

De woedende menigte gildeleden rende onmiddellijk op hen af.

'Aiaiai,' mompelde Menno. Die reactie had hij niet verwacht.

'Stop,' bulderde hij met de stem waarmee hij de hond van zijn oom altijd in bedwang hield. Dat leek te werken, want ze kwamen niet verder naar voren.

'Ik wil gildemeester Axel spreken,' zei hij dreigend. 'Nu!'

Even leek het alsof ze zouden luisteren, maar toen kwamen ze weer naar voren. Ze waren in oorlog met de tovenaars en een dreigende stem ging ze nu niet tegenhouden. Net toen ze bijna bij de uitgang waren aangekomen en Maartje en Menno aarzelend steeds verder achteruit schuifelden, hoorden ze een zware stem.

'Wie wil mij spreken?' vroeg gildemeester Axel, terwijl hij zich een weg door de menigte baande.

'Ik, Menno!'

'Hoe weet ik dat jij het bent en dat je niet onder de invloed bent?' wilde gildemeester Axel weten. 'Jullie zijn hier met een tovenaar.'

'Dat is geen gewone tovenaar,' zei Menno. 'Dat is Torfullio, één van de versteende helden. Hij streed al tegen de slechte tovenaars tijdens de elfenoorlog. Hij heeft ons nu weer geholpen.'

Gildemeester Axel aarzelde. 'Hoe kan ik zeker weten dat jullie niet onder de invloed zijn?' wilde hij weten.

'Hang ons gewoon de hangers om die wij bij u hebben achtergelaten,' zei Menno. 'U weet dat tovenaarsmagie dan niet werkt.'

Met grote passen liep gildemeester Axel weg.

'Gelooft hij je?' vroeg Maartje.

Menno haalde zijn schouders op. 'Ik hoop het, want ik weet ook niets anders.'

'Waarom vertelde je niet dat ze Alaida gevangen hebben genomen?' vroeg Maartje. 'Als ze dat horen, laten ze de anderen vast vrij.'

'Ja,' antwoordde Menno. 'Als ze tenminste zelf niet onder de invloed zijn gekomen. Ze hebben wel hoeden op, maar ik weet niet hoe sterk de magie nu is en ze reageren wel erg agressief.'

'Slim van je,' zei Maartje bewonderend. 'Daar had ik nog niet aan gedacht.'

'Jij hebt de verhalen van Niranja ook niet gehoord,' antwoordde Menno. 'Daar ben ik echt van geschrokken.'

Gespannen wachtten ze af wat gildemeester Axel zou doen. Met grote stappen kwam de gildemeester terug. In zijn rechterhand hield hij Davino's rugzak met de hangers.

'Kom naar buiten en bewijs dat je nog aan onze kant strijdt,' zei hij.

'Ik ga wel alleen,' zei Menno. 'Ze weten niet dat jij hier ook bent.' Maartje knikte en omhelsde hem even voor hij naar voren stapte.

'Je bent het echt,' zei gildemeester Axel opgelucht. 'Hier zijn de hangers. Doe ze maar om.'

Nadat Menno ze om had gedaan en de gildemeester zeker wist dat de jongen niet onder de invloed was, was het probleem vlot opgelost. Binnen een paar minuten was iedereen bevrijd en stond ook Maartje bij de groep. Zelfs Torfullio had zijn hangers weer terug, hoewel de gildeleden hem argwanend aan bleven kijken.

Toen gildemeester Axel doorkreeg dat hij Alaida gevangen had genomen, kon hij niet meer stoppen met "sorry" zeggen. Alaida glimlachte en stelde hem gerust.

'Beste gildemeester,' zei ze. 'Ik ben juist heel blij dat u zo waakzaam bent. Fijn om te zien dat mannen zoals u Mystica verdedigen.'

De gildemeester bloosde als een verlegen meisje en wist niet meer wat hij moest zeggen.

Het was goed om te zien dat Alaida opknapte, haar schaduw werd zelfs al wat groter. Davino had haar een flink aantal hangers omgehangen en dat bleek een goed idee. Het effect van de tovenaarsmagie van de gouden kooi leek snel minder te worden.

Ze gingen terug naar Crenby al Berion, naar het huis van gildemeester Eugenio. Daar hadden de gildemeesters hun hoofdkwartier ingericht.

Wat waren de gildemeesters blij dat de reddingsactie van Alaida was gelukt! Enthousiast gooiden ze hun hoeden in de lucht en gildemeester Clavia deed van blijdschap een dansje met gildemeester Axel. Gildemeester Eugenio schraapte zijn keel en langzaam werd het stil.

'Beste Alaida, welkom in mijn huis,' zei hij. 'Ik ben zo blij dat u weer veilig bent. Gelukkig kunt u nu het evenwicht van de magie weer herstellen.'

'Beste gildemeester Eugenio,' zei Alaida. 'Hartelijk dank voor uw aardige woorden. Ik voel me hier heel welkom. Dat had ik wel nodig na al mijn avonturen.' Ze keek naar de vijf kinderen die haar gered hadden. 'Zonder Maartje, Menno, Elvira, Davino en Pauli had ik hier nu niet gestaan. Ik wil jullie hartelijk danken voor het redden van mijn leven.' Ze liep op de kinderen toe en omhelsde hen. Een luid gejoel barstte los.

Maartje hoorde haar tegen Pauli fluisteren: 'Ik weet dat je nu heel verdrietig bent, maar ik weet zeker dat er een verklaring is voor alles wat je moeder heeft gedaan.'

Pauli haalde zijn schouders op alsof het hem niets kon schelen.

Alaida draaide zich weer om naar de gildeleden.

'Ik weet niet of ik in mijn eentje de balans van de magie weer kan herstellen, maar ik zal zeker mijn best doen. Misschien is het beter als ik tijdelijk in het paleis van de koning ga wonen. Ik denk dat ik daar voorlopig veiliger ben en ik wil de Koninklijke bibliotheek gebruiken om te kijken hoe ik mijn magie kan inzetten om Mystica beter te beschermen.' Ze zei het met een zucht alsof ze er erg tegenop zag. 'Misschien moet ik ook leerlingen nemen. Mijn positie als enige beschermer van de goede magie is te kwetsbaar. Dat is nu wel gebleken.'

Gildemeester Eugenio knikte. 'Ik denk dat u gelijk hebt Alaida. Morgen zullen we jullie naar Ilia do Rada brengen. Maar nu eerst feest! Ik zeg altijd: successen moet je vieren.'

'Hoera, feest!' riep Menno, die wel van een feestje hield.

Gildemeester Eugenio stuurde Janus op pad om de gildemeesters, die nog met de afleidingsacties bezig waren, te vertellen dat de bevrijding van Alaida gelukt was. Niet lang daarna stroomde het huis vol met gildeleden die Alaida allemaal de hand wilden schudden. Sinistro had geen tegenaanval gedaan en alles leek rustig.

Het was heel makkelijk om een feestje te bouwen omdat de Kamer van de melodie aanwezig was. Er klonk muziek en iedereen danste er op los.

Terwijl het dansen in volle gang was, liep Maartje naar Alaida. Die zat te praten met Carlinda, de dochter van gildemeester Eugenio.

'Hallo Maartje, Carlinda heeft zich net aangeboden als mijn eerste leerling.' Ze keek Carlinda aan. 'Vraag aan je vader of hij het goed vindt en denk er zelf ook goed over na. Het is een beslissing die de rest van je leven zal bepalen. Denk er niet te licht over.'

Carlinda rende naar haar vader. Dit was de eerste keer dat Maartje Alaida rustig kon spreken. Aarzelend keek ze Alaida aan.

'Zeg het maar, kind,' zei Alaida. 'Ik zie dat je een belangrijke vraag voor me hebt.'

'Ik vroeg me af hoe de tovenaars u konden overmeesteren,' zei Maartje. 'En hoe het u gelukt is om die toverboodschap voor ons achter te laten.'

'Tja,' zei Alaida, 'dat overmeesteren ging eigenlijk veel te gemakkelijk. Ik ben er niet aan gewend om mijn magie te gebruiken om mezelf te verdedigen of om iemand kwaad te doen. Eigenlijk ben ik vooral goed in het versterken van gaven. Dus toen er een grote groep tovenaars mijn huis omsingelde, wist ik eigenlijk niet goed wat ik moest doen. Daarom wil ik nu ook naar Ilia do Rada. Ik hoop dat ik in de bibliotheek boeken kan vinden met nuttige spreuken.' Ze staarde peinzend voor zich uit. Net toen Maartje dacht dat Alaida in slaap was gevallen, ging ze door: 'Toen ik zag dat ik omsingeld was, ben ik naar buiten gegaan en heb ik mijn welkomspreuk gedaan.'

'Welkomspreuk?' vroeg Menno. Pas toen had Maartje door dat haar vrienden ook om Alaida heen stonden.

'Ja,' bevestigde Alaida. 'Volgens mij ken je hem wel. Ik heb hem ook gebruikt toen jullie voor het eerst bij mij op bezoek kwamen. Hij is bedoeld om een gast zich welkom te laten voelen.'

'Heb je dan het gevoel dat de gastheer geweldig is en dat alles in orde is?' vroeg Davino.

'Dat is inderdaad het effect,' zei Alaida. 'Maar het is bedoeld om gasten op hun gemak te stellen.'

‘Je kunt het ook misbruiken,’ zei Davino. ‘Volgens mij heeft Leonardo die spreuk gebruikt toen wij bij hem aankwamen. Menno en Pauli hoorden de spreuk en dachten dat Leonardo niets fout kon doen.’

‘Oh, dat was er aan de hand!’ zei Maartje.

‘Dat kan inderdaad,’ zei Alaida. ‘Ik heb de spreuk van Leonardo geleerd.’

‘Maar waarom deed u de welkomspreuk?’ vroeg Elvira nieuwsgierig.

‘Eigenlijk waar Leonardo hem ook voor gebruikte,’ bekende Alaida. ‘Door die spreuk vonden ze het niet gek dat ik in de keuken en bij mijn boeken nog even bezig was met magie. Helaas was de spreuk niet sterk genoeg om ze zonder mij te laten vertrekken. Ook ontsnappen was niet mogelijk.’

Ze zaten even zwijgend met elkaar naar de dansende gildemeesters te kijken, toen de stem van gildemeester Eugenio boven de muziek uitklonk: ‘Maar je gezondheid is veel te zwak, Carlinda.’

‘Blijkbaar vindt gildemeester Eugenio het niet goed dat Carlinda mijn leerling wordt,’ zei Alaida glimlachend. ‘Ik ben benieuwd of ze hem kan overtuigen.’

‘Gaat u haar niet helpen?’ vroeg Menno.

‘Alleen als ze hem zelf kan overtuigen, zonder boos te worden, kan ze mijn leerling worden. Het is de eerste test. Morgen, als we vertrekken, weten we de uitslag. Het is belangrijk dat jullie je er ook niet mee bemoeien.’

Gildemeester Clavia kwam op Menno afgedanst en voor hij het wist, zwaaide ze hem door de kamer. Uit zijn ooghoek zag hij dat de anderen ook ten dans waren gevraagd. Zelfs Alaida deed een voorzichtig dansje. Het feest duurde nog tot diep in de nacht.

De volgende ochtend gingen ze op weg naar Ilia do Rada. Gildemeester Axel zorgde voor vervoer en Carlinda zat tevreden naast hem op de bok. Ze had haar vader weten te overtuigen. Na een lange, vermoeiende tocht kwamen ze bij het paleis van de elfenkoning aan. Zodra die hoorde dat ze weer terug waren, werden ze door een lakei opgehaald. Niet lang daarna stonden ze voor de elfenkoning. Maartjes vader stond aan zijn zijde.

'Zo, Pauli,' zei de koning, 'had jij geen huisarrest?'

Pauli schuifelde ongemakkelijk heen en weer en keek naar de grond. 'Sorry, vader,' zei hij zacht.

'Je had niet naar Alaida mogen vliegen,' zei de koning. 'Maar ik ben er trots op dat je je verantwoordelijkheid hebt genomen en haar bent gaan zoeken toen dat nodig was.'

Romano knikte, terwijl hij naar Maartje en Menno keek. Ook hij leek hun beslissing goed te keuren.

Pauli ging rechtop staan en keek opgelucht naar zijn vrienden. Hij had zich blijkbaar zorgen gemaakt over de reactie van zijn vader.

'Nu hoor ik graag wat er gebeurd is,' zei de koning.

Davino vertelde en de anderen vulden hem aan. Toen hij bij het stuk over Leonardo en de toren kwam, keek hij aarzelend om zich heen. 'Ik weet niet of ik dit moet vertellen,' zei hij fluisterend.

'Ben je bang dat iemand ons afluistert?' vroeg de koning.

Davino knikte. De elfenkoning zwaaide met zijn hand en iedereen om hen heen greep naar zijn oren.

'Wat gebeurt er?' vroeg Menno.

'Iedereen hoort nu een stukje muziek,' zei de koning tevreden.

'Maar waarom kijkt iedereen zo verschrikt?' vroeg Davino.

‘En waarom doen ze hun vingers in hun oren?’ vroeg Elvira die moest lachen om de bedienden die niet wisten hoe vlug ze de zaal moesten verlaten.

‘Het is een stukje van de fluitles van Pauli,’ antwoordde de koning met een glimlach. ‘Toen hij klein was, floot hij nog niet zo mooi. Als je dat hoort kun je nergens anders meer aan denken.’ Hij keek naar Davino. ‘Dus nu kun je je verhaal rustig afmaken.’

‘Dit kan Maartje beter vertellen,’ zei Davino.

Maartje vertelde over de duistere toren die toegang gaf naar verschillende werelden. Ook naar de mensenwereld.

‘Maar die poort was afgesloten?’ vroeg de koning nog een keer voor de zekerheid.

Maartje knikte.

‘Er was ook nog een verrekijker waardoor je een onderwaterwereld zag. Weet u wat dat is?’ vroeg Menno. Die wereld had indruk op hem gemaakt. Het had er prachtig uitgezien en hij had het idee dat het daar heel fijn zou zijn.

‘Dat is het onderwaterrijk van koningin Aquarina,’ vertelde de koning. ‘Wat bijzonder dat er ook een reispoort naar haar rijk is.’ Hij keek Maartje aan. ‘Dat is de plek waar je oma Tamira naartoe reist. Het is een heel lange reis, door andere werelden en ze is al 25 jaar onderweg. Als we hadden geweten dat er een reispoort naartoe bestond…’ De koning staarde voor zich uit.

‘Weet u waar mijn oma nu is?’ vroeg Maartje.

De koning schudde zijn hoofd. ‘Ze is al heel lang weg en de afgelopen twintig jaar heb ik niets meer van haar gehoord. Maar als onze inschattingen kloppen zou ze er al moeten zijn.’

‘Maar hoe weet u dan of het nog goed met haar gaat?’ vroeg Maartje.

'Dat weet ik niet,' antwoordde de koning. 'Maar ik hoop met heel mijn hart dat ze in haar missie slaagt. Het is de laatste hoop voor mijn familie.'

Menno stond op het punt nieuwsgierig aan de koning te vragen wat hij daarmee bedoelde, toen hij zijn gezicht zag. Dat stond zo verdrietig en boos tegelijk, dat Menno niets meer durfde te vragen. Hij keek vragend opzij naar Pauli, maar die haalde zijn schouders op, alsof hij wilde zeggen dat hij het ook niet wist.

De koning rechtte zijn schouders en ging rechtop zitten.

'Goed,' zei hij. 'Jullie hebben dus reispoorten gevonden. Was er ook een poort naar een woestijn? En naar een ijsvlakte?'

'Die hebben we niet gezien,' zei Maartje. 'Maar misschien hebben we niet door alle verrekijkers gekeken. We hadden iedere keer veel haast.'

De koning knikte bedachtzaam en luisterde verder naar het verhaal. Bij de beschrijving van de scepter keek hij verbaasd op.

'Dus Sufficus had gelijk, hij heeft de scepter helemaal niet kwijtgemaakt,' zei de koning. 'Wie had dat gedacht! Die moeten we binnenkort maar ophalen. Dit verandert de zaak aanzienlijk.'

Welke zaak? vroeg Maartje zich af, maar Davino ging al door met zijn verhaal voordat ze het kon vragen. Na uren vertellen kwam Davino bij hun ontsnapping uit de tovenaarsrots.

'Koningin Doeblia heeft de Plugduivengrot geopend en...'

'Die naam wil ik nooit meer horen!' bulderde de elfenkoning woedend.

Dit was een kant van de elfenkoning die ze nog nooit hadden gezien. Maartje deed verschrikt een stap achteruit en Davino wist van schrik niet meer wat hij moest zeggen. Het maakte ook niet meer uit, want de koning leek niet meer te luisteren.

'Jullie kunnen gaan,' zei de koning en hij wees met zijn hand naar de deur. Dat lieten ze zich geen twee keer zeggen. Zo snel ze konden verlieten ze de troonzaal. Alleen Maartjes vader en Alaida bleven achter.

Dit was wel heel anders dan het feestje dat ze na hun overwinning bij de gildemeester thuis hadden gevierd. Je kon merken dat de koning erg van slag was, want hij was zelfs vergeten hen te bedanken. Ook Pauli was, sinds hij zijn moeder had gezien in de tovenaarsgrot, niet meer dezelfde. Zodra ze de deur van de troonzaal door waren, nam hij afscheid en ging hij naar zijn kamer. Maartje begreep het wel, maar ze vond het erg jammer en verdrietig. Pauli was tijdens deze reis een echte vriend geworden en ze voelde met hem mee.

Ze zaten bij elkaar in Davino's kamers. Zonder Carlinda en Torfullio, want die waren naar de bibliotheek gegaan. Carlinda in opdracht van Alaida en Torfullio om te zoeken naar een oplossing voor zijn versteende toestand. Hij had nu voldoende hangers om, zodat hij goed kon bewegen, maar eigenlijk was het probleem nog niet opgelost. Bovendien wilde hij zijn versteende vrienden helpen.

'De koning is echt heel boos op koningin Doeblia,' zei Elvira.

'Pauli ook,' zei Maartje.

'Ja,' zei Davino. 'Dat zou ik geloof ik ook zijn.'

Menno knikte. 'Ik begrijp ook niet dat ze haar gezin zo in de steek heeft gelaten,' zei hij.

Op dat moment werd er op de deur geklopt. Davino deed open en liet Maartjes vader binnen.

'Ik kom namens de koning zeggen dat het hem spijt dat hij zo boos reageerde,' zei Maartjes vader.

'Wil hij echt niet weten hoe koningin Doeblia ons geholpen heeft?' vroeg Maartje. 'Het is misschien belangrijk.'

Haar vader schudde zijn hoofd. 'Hij heeft verboden dat haar naam ooit nog genoemd wordt in dit kasteel. Degene die haar naam noemt, wordt verbannen.'

'Verbannen,' zei Davino verschrikt. 'Waar naar toe?'

'Dat weet ik niet,' antwoordde Maartjes vader. 'In ieder geval weg van het kasteel en misschien wel uit Mystica.'

Hij staarde even voor zich uit. 'Ik heb Bernacus nog nooit zo gezien,' zei hij. 'Hij is niet voor rede vatbaar. Ik denk echt dat hij iemand gaat verbannen als hij de naam van zijn vrouw nog een keer hoort.'

'Maar goed,' ging hij door. 'Daar kwam ik eigenlijk niet voor, hoewel het goed is om dat te weten. Ik kwam vertellen dat ik op reis ga. De elfenkoning heeft mij gevraagd om naar Leonardo te gaan en te kijken of hij een bedreiging is voor Mystica. Als hij een reispoort naar de mensenwereld heeft, is het belangrijk om te weten of hij daar misbruik van gaat maken.'

'Maar we zouden vandaag naar huis teruggaan,' zei Maartje.

'Dat klopt,' antwoordde haar vader. 'Ik kwam jullie vragen wat jullie willen. Ik kan jullie terugbrengen en aan opa Bos vragen of hij jullie ophaalt. Maar het is nog vakantie. Ik kan ook even op en neer reizen om te bellen en tegen jullie moeders zeggen dat we wat langer wegblijven. Jullie mogen kiezen.'

Maartje en Menno hoefden niet lang na te denken.

'Wij blijven graag hier,' zei Maartje. 'Nietwaar Menno?'

'Jazeker,' antwoordde Menno. 'Hier beleef je nog eens wat.'

Even trok Maartjes vader zijn wenkbrauw op. 'Ben je dan nog iets van plan, Menno?'

‘Nee, nee,’ zei Menno vlug. Even was hij bang dat Maartjes vader van gedachten zou veranderen.

‘Goed, dan regelen we het zo,’ zei Maartjes vader. Hij gaf Maartje een stevige knuffel. ‘Ik vertrek morgenochtend heel vroeg, dus dan zie ik jullie niet meer. Tot over een week.’ Met een laatste zwaai liep hij de kamer uit.

‘Ik hoop dat alles goed gaat,’ zei Maartje bezorgd.

‘Natuurlijk gaat het goed,’ stelde Menno haar gerust. ‘Je vader doet dit soort opdrachten van de elfenkoning toch heel vaak?’

Maartje glimlachte: ‘Je hebt gelijk.’ Ze gaapte luid.

‘Tijd om naar bed te gaan,’ zei ze. Ze ging met Elvira naar de kamer die ze samen deelden. Even later lag ze in een prachtig bed. Wat is het heerlijk om weer in een zacht bed te liggen, dacht ze. Glimlachend viel ze in slaap.

De volgende ochtend stond Maartje al vroeg op. Ze wilde naar de bibliotheek gaan, om te kijken of ze meer informatie kon vinden over koningin Doeblia. Onderweg daar naartoe kwam ze Elvira, Davino en Menno tegen. Ze bespraken de reactie van de elfenkoning en Maartje vertelde dat ze koningin Doeblia had zien huilen toen ze afscheid nam van Pauli in de grot.

‘Ik heb het gevoel dat koningin Doeblia daar helemaal niet wil zijn,’ zei ze.

‘Ssshhht,’ zei Elvira. ‘Je mag haar naam niet noemen.’ Snel keek ze om zich heen of iemand Maartje had gehoord.

‘Dat gevoel heb ik ook,’ zei Menno onverstoorbaar. ‘Toen het haar gelukt was om ons te bevrijden, zag ik volgens mij heel even een lach op haar gezicht. Bovendien, als ze echt voor Sinistro was, dan had ze Alaida toch nooit laten gaan?’

‘Maar waarom heeft ze dan gekozen voor Sinistro?’ vroeg Davino. ‘Waarom is ze bij hem? Dat is dan toch raar?’

'Juist,' zei Maartje. 'Waarom, daar moeten we achter zien te komen.'

'Niemand anders denkt dat er iets aan de hand is,' zei Menno.

'Inderdaad,' zei Davino. 'Dus niemand gaat er iets aan doen. Dat kan niet goed zijn. Als er tenminste iets aan de hand is, want dat weet ik niet zeker.'

'Misschien is er in het verleden iets gebeurd,' zei Maartje. 'Dan staat er vast iets in de boeken in de bibliotheek. Daarom was ik daarnaar onderweg.'

'Ja,' zei Menno. 'Laten we dat eens even uitzoeken.'

'Zo makkelijk zal het niet zijn,' zei Davino. 'Maar het is een goed idee om dit te onderzoeken. Dat kunnen we mooi doen terwijl we wachten op je vader.'

'Hij is van plan om met de poort bij de vallei van de Zwerulaars naar de toren te reizen,' vertelde Maartje. 'Ik heb hem gisteren nog uitgebreid verteld hoe hij dat moest doen.

'Zelfs dan doet hij er wel een paar dagen over,' zei Davino. 'Dat geeft ons vast genoeg tijd.'

Ze liepen naar de bibliotheek, vastbesloten om het raadsel van koningin Doeblia op te lossen.

Bedankt

Maartje en Menno, De Meester van de Duistere Toren is een prachtig boek geworden met de hulp van velen, die ik hier graag wil bedanken. In de eerste plaats natuurlijk mijn lezerspanel, dat steeds voor me klaarstaat, ook al vraag ik veel in korte tijd. Max, Robin, Iduna, Johan, Yvonne, Eveline, Martine en Leonie, jullie zijn geweldig! Jullie enthousiasme, kritische blik, waardevolle suggesties en puntjes op de i, zijn van onschatbare waarde. Ook kan ik bij jullie goed toetsen of een grap geslaagd is. Als Max en Robin hardop moeten lachen tijdens het voorlezen, weet ik dat het goed zit. Ik hoop dat jullie weer willen meelezen met deel 3. Want het raadsel van koningin Doeblia vraagt om nader onderzoek!

Dit keer mocht ik de hulp inroepen van Tom om te toetsen welk lettertype en welke regelafstand goed zijn, als je last hebt van dyslexie. Ik hoop dat het boek inderdaad voor iedereen toegankelijk is.

De fraaie illustraties zijn gemaakt door Rakhi Wind. In mijn zoektocht naar een nieuwe illustrator hebben de kinderen van basisschool de Vliermeent me geholpen. Zij hebben Rakhi uitgekozen om de tekeningen te maken. Rakhi, het was een plezier om met je samen te werken. De omslag is zo mooi geworden door de vormgeving van Rogier Charles en door het waardevolle advies van Gean, Linda en het lezerspanel. Ik ben er trots op dat het boek weer duurzaam gedrukt is door Drukkerij Knoops.

Tot slot wil ik mijn drie mannen bedanken. Jullie zorgen voor een inspirerende, liefdevolle omgeving en de ruimte om te schrijven. Wat een rijkdom om jullie in mijn leven te hebben.

Marieke